D0571266

UN COEUR EN FORÊT

LES ÉDITIONS LA SEMAINE
Charron éditeur inc.
Une société de Québecor Média
1055, boul. René-Lévesque Est, bureau 205
Montréal (Québec) H2L 4S5

Directrice des éditions: Annie Tonneau
Directrice artistique: Lyne Préfontaine
Coordonnateur aux éditions: Jean-François Gosselin

Réviseures-correctrices: Nathalie Ferraris, Audrey Faille, Nicolas Whiting
Maquette de la couverture: Lyne Préfontaine
Infographie: Echo International inc.

L'éditeur bénéficie du soutien de la Société de développement des entreprises culturelles du Québec (SODEC) pour son programme d'édition.

Nous reconnaissons l'aide financière du gouvernement du Canada par l'entremise du Fonds du livre du Canada pour nos activités d'édition.

REMERCIEMENTS
Gouvernement du Québec (Québec) — Programme de crédit d'impôt pour l'édition de livres — Gestion SODEC

Dépôt légal: premier trimestre 2015
Bibliothèque et Archives nationales du Québec
Bibliothèque et Archives Canada
ISBN: 978-2-89703-264-7

Louise Poulin

UN COEUR EN FORÊT

Une société de Québecor Média

DISTRIBUTEURS EXCLUSIFS

• Pour le Canada et les États-Unis :
MESSAGERIES ADP*
2315, rue de la Province
Longueuil (Québec) J4G 1G4
Tél. : 450 640-1237
Télécopieur : 450 674-6237

* une division du Groupe Sogides inc.,
filiale du Groupe Livre Québecor Média inc.

• Pour la France et les autres pays :
INTERFORUM editis
Immeuble Paryseine, 3, Allée de la Seine
94854 Ivry CEDEX
Tél. : 33 (0) 4 49 59 11 56/91
Télécopieur : 33 (0) 1 49 59 11 33

Service commande France métropolitaine
Tél. : 33 (0) 2 38 32 71 00
Télécopieur : 33 (0) 2 38 32 71 28
Internet : www.interforum.fr

Service commandes Export —
DOM-TOM
Télécopieur : 33 (0) 2 38 32 78 86
Internet : www.interforum.fr
Courriel : cdes-export@interforum.fr

• Pour la Suisse :
INTERFORUM editis SUISSE
Case postale 69 — CH 1701 Fribourg — Suisse
Tél. : 41 (0) 26 460 80 60
Télécopieur : 41 (0) 26 460 80 68
Internet : www.interforumsuisse.ch
Courriel : office@interforumsuisse.ch

Distributeur : OLF S.A.
ZI. 3, Corminboeuf
Case postale 1061 — CH 1701 Fribourg — Suisse

Commandes : Tél. : 41 (0) 26 467 53 33
Télécopieur : 41 (0) 26 467 54 66
Internet : www.olf.ch
Courriel : information@olf.ch

• Pour la Belgique et le Luxembourg :
INTERFORUM BENELUX S.A.
Fond Jean-Pâques, 6
B-1348 Louvain-La-Neuve
Tél. : 00 32 10 42 03 20
Télécopieur : 00 32 10 41 20 24

CHAPITRE 1

L'accident

— Attention ! Papa, attention !... Nous allons nous écraser...

Un bruit retentit dans la forêt déserte et silencieuse. L'espace de quelques instants, tout parut se casser, exploser, se désintégrer. Le bruit et la chute semblaient ne jamais s'arrêter. Une douleur fulgurante lui traversa le bras gauche. Les cris horribles de son père et de son chien, les siens aussi peut-être, lui vrillèrent les tympans.

Ces quelques minutes s'avérèrent durer une éternité.

Puis, le silence s'installa. Une peur immense grandit au fond de sa poitrine. Tout était trop calme ; pas un mouvement, pas une plainte, plus rien ne dérangeait l'air ambiant. Il n'osait ouvrir les yeux ; il y avait trop de peur en lui. Quelle horreur devrait-il affronter ? Qu'était-il arrivé durant ces quelques secondes où sa vie avait basculé ?

Un souvenir s'imposait à son esprit : celui d'une lumière aveuglante. Ce n'était pas le soleil, car l'astre s'était levé derrière eux au moment du décollage. Jamais il n'avait vu un phénomène comme celui-là. Son père cumulait quinze années d'expérience de vol, et pourtant cette clarté incompréhensible lui avait fait perdre tout contrôle. Pourquoi avait-il ainsi perdu le contrôle de l'appareil ?

Il devait ouvrir les yeux et constater les dégâts. Peut-être pourrait-il secourir son père ?

Respirant avec peine, lentement, il tourna la tête en direction de Michael et découvrit avec effroi le pire des scénarios. Un visage sans vie, ensanglanté, méconnaissable et empreint de peur et de souffrance lui faisait face. Il referma les paupières et tenta de chasser le cauchemar. Il allait certainement s'éveiller dans sa chambre, face à ce lac qui s'étendait devant chez lui. Il irait marcher avec son chien et reviendrait manger une grosse pointe de tarte aux pommes bien chaude préparée par sa mère.

Un gémissement le tira de ses pensées et lui rappela que l'accident était bien réel. William tourna la tête, regarda derrière son siège et découvrit, enseveli sous les débris, le museau ensanglanté de son chien.

— Boucanier, tiens bon, mon vieux ! Je vais nous tirer de là. Je t'en prie, tiens bon, j'arrive.

Au son de cette voix familière, Boucanier se mit à japper doucement et tenta de se dégager. Ses efforts ne réussirent qu'à le blesser davantage, son corps frottant contre le métal coupant de la carlingue endommagée.

Une odeur d'essence flottait dans l'air et William redoubla d'efforts pour se sortir de l'avion. Qu'arriverait-il si le feu éclatait ? Il n'avait pas l'intention de rôtir vivant. Un appel à l'aide était inutile. La forêt silencieuse ne lui retournait que le son de sa propre voix. La douleur lancinante à son bras gauche le fit grimacer.

— Crois-moi, Boucanier, ce n'est pas un bras amoché qui va m'empêcher de nous sortir de là !

Haletant, les oreilles dressées, le chien observait son maître en se plaignant doucement.

William avait les jambes coincées sous le tableau de bord de l'appareil. À l'aide de sa main valide et poussant avec force, il s'extirpa et se hissa sur son siège. Le toit de l'avion en partie arraché lui permit de sortir de l'appareil et de se laisser rouler par terre. Le sang battait dans son bras invalide, mais c'est la mort débarquée dans sa vie qui lui coupait le souffle, le déchirait, l'anéantissait, le laissait seul face à la pire des solitudes.

Il était au centre d'une bulle de douleur d'où il croyait ne jamais pouvoir s'enfuir. Ses larmes coulaient sur la mort de son père, sur le deuil de sa mère, sur leur vie familiale si belle remplie de sourires, de complicité, de tendresse… et de tartes aux pommes. Une vie qui, dorénavant, ne serait plus jamais la même. Les tartes auraient désormais le goût amer de la tristesse…

La forêt résonnait de la douleur de William, ses cris emplissaient tout. Il s'était fondu dans l'espace sauvage et n'existait plus. Des sanglots interminables secouaient son corps ; il était en état de choc. Boucanier, toujours prisonnier des débris de l'avion, ressentait la peine de son maître, impuissant à le consoler. Il attendait qu'on veuille bien le délivrer. Les minutes passèrent, puis les heures. Le soleil était haut dans un ciel bleu azur. L'air était doux. C'était une belle journée de fin d'automne, et une couche de neige recouvrait déjà la terre nouvellement gelée.

Effondré, William perdit connaissance. Comme un film sans cesse rembobiné, il revivait l'affreux cauchemar où il tombait: le bruit de la tôle qui se tord, le craquement des branches d'arbres arrachées de leur tronc, les cris de son père et les siens. Puis Boucanier, qui jappait et hurlait à n'en plus finir.

Une lumière flottait au-dessus des branches. Sans bruit, presque sans mouvement, elle semblait observer William. Elle était éblouissante, d'origine inconnue. Elle descendit très bas, presque au-dessus de l'avion de Michael, puis s'évanouit comme elle était venue. Plusieurs lumières identiques avaient survolé la région depuis quelques jours, mais elles étaient passées inaperçues aux yeux de la population.

Les bruits ambiants interpelèrent William et l'incitèrent à remonter à la surface, à s'extirper de son inconscience. Deux longues heures s'étaient écoulées depuis qu'il était tombé sur le sol humide et enneigé.

Où était-il ? Il avait froid, son corps était engourdi. Des jappements lointains attirèrent son attention. Il tenta de se concentrer sur cet appel. Que devait-il faire ? Pourquoi Boucanier l'appelait-il ainsi ?

« Je dois le retrouver », pensa William. Il appela son chien, du moins le croyait-il, car ses lèvres ne bougeaient pas, et les jappements se poursuivaient. De nombreuses minutes s'écoulèrent hors du temps. William entrouvrit les yeux, remit un pied dans la réalité, observa le ciel à travers les branches de sapins et sentit l'humidité qui traversait ses vêtements ; à cet instant, il sut qu'il existait, qu'il souffrait, et il se rappela pourquoi.

Autour de lui, il n'y avait qu'absence et douleur qui, croyait-il, ne s'effaceraient jamais, car c'étaient celles de tout son être, de toute son âme.

— Pauvre Boucanier, dit-il faiblement. Pardonne-moi, j'arrive.

Il s'assit et respira profondément pour tenter de reprendre ses esprits. La nature autour de lui était immobile. À perte de vue, des arbres étaient accrochés à de petites collines. Des branches arrachées de leur tronc et des morceaux de métal gisaient tout près de l'adolescent. Il était un intrus blessé au cœur de la beauté de cette forêt.

William se frictionna pour calmer les tremblements qui le secouaient violemment. Où était l'énergie dont il avait un urgent besoin ? Il avait le vertige, planant au-dessus d'un gouffre irréel, perdu entre conscience et inconscience du temps et de l'espace.

À quatre pattes dans la neige mouillée, il s'approcha de l'avion, s'appuya sur le rebord de l'aile et se redressa. Ce simple geste lui demanda un effort surhumain. Il regarda le chien qui l'observait, le regard suppliant.

— Je suis là, mon brave, dit-il en caressant la tête de l'animal qui s'était cru abandonné.

Boucanier faisait partie de la vie de William depuis déjà sept ans. Ils avaient partagé jeux, promenades et affection. Le labrador est un chien fidèle, et le garçon n'avait pas hésité un instant lorsque ses parents avaient proposé de lui offrir ce compagnon. L'animal dormait toujours dans sa chambre, tout près de son lit. Il était le frère qu'il n'avait jamais eu.

Heureusement que William était assez grand et fort pour déplacer le siège qui gardait le chien prisonnier. Tirant et poussant la tôle, puisant une énergie insoupçonnée tout au fond de lui, William réussit enfin à libérer Boucanier. Avec la force que donne le désespoir, il souleva le labrador, et ils s'effondrèrent l'un contre l'autre. Boucanier appuya sa belle tête blonde sur les genoux de William et s'y reposa. Ses poils portaient la trace de sang coagulé. Une blessure sans gravité était apparente au-dessus de son œil. Avec un peu de neige, William nettoya le museau de la bête, prenant soin de ne pas toucher la plaie. Puis, tous deux demeurèrent immobiles dans le silence. L'adolescent fixait la nature qui l'entourait, cherchant à réaliser réellement ce qui venait de se passer.

La lumière du jour faisait briller la neige comme des millions de petites étoiles. L'ombre des arbres s'étirait sur cette couverture parfaitement immaculée. N'eussent été les circonstances, le moment aurait été rempli de paix et de plaisir de vivre ; mais ce jour était marqué par l'horreur du destin.

La gorge de William s'emplit du cri de la révolte. « Les hommes marchent sans savoir où la vie les mène... Aucun signe ne leur permet de se préparer à quitter ce monde, à dire adieu », pensa-t-il.

Au bout d'un moment, il se leva, contourna l'avion, prit l'une des couvertures que son père apportait toujours lors de leurs voyages et couvrit le corps de Michael. William s'approcha doucement de son père, comme s'il ne voulait pas le réveiller. Il n'avait jamais côtoyé la mort d'aussi près. Qui aurait pu prédire ce départ soudain ?

— Papa ! Oh, papa ! Comment as-tu pu me faire ça ? Qu'allons-nous devenir sans toi ? Je t'aime tant !

Malgré les blessures qui défiguraient son père, William l'embrassa pour une dernière fois.

Un frisson venu de nulle part le traversa. Il ne pouvait se décider à quitter des yeux le visage de celui qu'il aimait tant, le premier héros de son enfance, son confident.

— Adieu, papa, souffla-t-il, la gorge étranglée par l'émotion.

Avant de couvrir son père, William prit sa main gauche, lourde et froide, et il récupéra l'alliance qu'il voulait remettre à sa mère. Il protégea le corps avec des morceaux de tôle et des branchages pour décourager les animaux qui ne manqueraient pas de s'approcher, attirés par l'odeur du sang et de la mort. Ce furent les choses les plus difficiles qu'il eut à faire de toute sa vie.

Après quelques longs instants, William s'éloigna. Appuyé contre un arbre, il rendit son petit-déjeuner. Il était conscient qu'il ne pourrait rien faire ce jour-là. Il était brisé dans toutes les parcelles de son être. Il n'était que douleur :

son bras était blessé, ses muscles, endoloris, sa tête voulait éclater, et son cœur battait si fort qu'il semblait l'entendre résonner au sein de la forêt, tel un tam-tam indien. Il sortit de l'avion les deux sacs de couchage, récupéra une partie des provisions, puis se traîna vers Boucanier qui n'avait pas bronché. Il ne savait comment il arrivait à poser ces gestes, à respirer, à avancer… à vivre.

* * *

Comme ils le faisaient chaque automne, William et Michael étaient partis pour deux jours de chasse. Depuis de nombreuses années, le fils et le père s'échappaient pour une escapade entre hommes. Ils rapportaient à la maison du petit gibier que la mère de William apprêtait délicieusement. L'adolescent et Michael profitaient de ces occasions pour échanger quelques confidences. Le père avait prodigué au fils des conseils au sujet de ses relations avec les filles, et y était allé de quelques recommandations sur les relations intimes.

Sa mère aussi lui avait parlé des filles. Elle avait évoqué la douceur, le romantisme et la délicatesse. Ses parents avaient remarqué que, depuis un moment, de nombreuses demoiselles lui tournaient autour avec assiduité. Plusieurs mois auparavant, on avait fêté ses seize ans. En héritant de la stature imposante de son père, son corps avait déjà l'apparence de la maturité, ce qui le rendait très populaire auprès des filles de son âge. La rondeur et la douceur des traits de son visage, dissimulées sous une barbe déjà dense, prouvaient toutefois sa jeunesse. Il ne conservait pas toujours cette barbe, et sa mère préférait toujours lorsqu'elle pouvait embrasser sa peau douce et lisse.

Ces vacances automnales étaient une merveilleuse tradition. Sa mère les poussait presque dehors, affirmant que ces quelques heures étaient pour elle un véritable repos. Même si chaque fois, Michael l'invitait à se joindre à eux, il savait qu'elle refuserait toujours pour leur permettre ce moment d'intimité masculine.

— Allez vite, mes amours, disait-elle, et rapportez-moi quelques bons lièvres.

Elle les embrassait bien fort et les serrait dans ses bras, affectueusement.

— Je vous aime, leur criait-elle lorsqu'ils s'éloignaient.

Elle demeurait dehors pour regarder l'hydravion s'envoler et disparaître totalement derrière la montagne au bout du lac. Puis, elle rentrait dans leur chaude demeure, heureuse de savoir en tête à tête les deux hommes de sa vie.

CHAPITRE 2

Le départ

Vint la fin de la journée et avec elle le froid humide des premières nuits d'hiver.

Serrés l'un contre l'autre, William et Boucanier tentaient de rester en vie, ou du moins d'en entretenir l'espoir. William devait le faire pour sa mère afin qu'elle puisse survivre à son tour. Combien de temps devrait-il marcher dans cette forêt ? Il nourrissait des doutes immenses sur ses chances de réussite.

Jusque-là, avec son père comme guide, la vie lui avait semblé facile; aucune embûche véritable n'avait dérangé le passage du temps. Michael était un père idéal, et il lui enseignait tout avec patience. Ils adoraient leur vie à la campagne, loin de l'agitation citadine. La chasse, la pêche, la marche en forêt… le père et le fils partageaient de nombreuses activités. William était fils unique au sein d'une famille aimante.

William ne dormit pas, malgré son épuisement. Le froid qu'il ressentait ne lui venait pas de l'air nocturne, mais de cet évènement qui défiait l'entendement. Il repassait dans sa mémoire la suite des moments précédant le drame, tentait de les analyser, de comprendre qu'il n'était pas au cœur d'un rêve, mais dans la triste réalité. Impossible de faire à rebours ces heures fatidiques et de les effacer. Quant à Boucanier, il dormait tranquillement, heureux d'avoir retrouvé son maître.

De temps en temps, William jetait un œil par-dessus son épaule et devinait la silhouette de son père cachée derrière la tôle. Il redoutait le moment où il devrait s'en séparer pour toujours. Sa présence, même immobile et silencieuse, était rassurante.

Assis sur l'aile de l'avion, tout près de son fils, l'esprit de Michael veillait. Il aurait aimé expliquer à William qu'il était toujours là et qu'il traverserait cette forêt à ses côtés. Mais sa main, comme le reste de son corps, était devenue immatérielle et traversait la matière. Il n'était plus qu'un courant d'air.

* * *

Lorsque se mit à briller le petit matin, William n'avait pas bronché. Appuyé contre le métal de l'avion, les yeux fixant droit devant, une main reposant sur le poil chaud et épais de son compagnon, les joues salies de larmes séchées, il semblait attendre. Il rassemblait le peu de courage et de forces physiques qui lui restaient.

Comment supporterait-il l'épreuve qui l'attendait ? Il étira ses membres engourdis par cette trop longue immobilité et secoua ses vêtements raidis par le froid. Il enfila un pantalon de rechange et un gilet chaud. Bouger un peu l'obligea à respirer, à tâter son courage. Boucanier s'ébroua et vint se frotter contre lui. Le brave animal lui signifiait qu'il était temps de partir. Le chien tourna autour de l'épave, s'arrêta là où reposait Michael, puis retourna auprès de William.

— Brave bête, heureusement que tu es là ! Viens, mangeons un peu, même si le cœur n'y est pas.

Manger, c'était vite dit, car rien ne réussissait à vraiment passer la barrière de sa gorge serrée. Les noix semblaient trop sèches, les fruits confits, insipides. Même le chocolat, sa gâterie préférée, ne lui inspirait aucun intérêt.

Après ce repas frugal, William saisit sa boussole, son sac rempli de vivres, les sacs de couchage roulés et attachés, des allumettes, un couteau de poche, une carabine, une boîte de munitions et du papier pour faire un feu, ainsi que de la corde en quantité. Il enfila ses gants trop minces pour ce qu'il s'apprêtait à affronter. Il déploya enfin une écharpe de fortune autour de son bras. Avec le souvenir de son père en tête, il pouvait y aller. Sans se retourner pour ne pas trop souffrir, pour ne pas s'effondrer de nouveau, il quitta le lieu de l'accident.

Après avoir fait quelques pas, il siffla son chien qui s'attardait encore autour de l'avion, et tous deux allèrent de l'avant. Ils grimpèrent le versant de la petite colline et ne se retournèrent pas.

— Voyons cette boussole, dit William. On doit se diriger vers l'est. Voilà, mon vieux, c'est de ce côté qu'est la maison. Allons-y !

Les collines succédaient aux collines, les sapins, aux bouleaux, et le soleil se disputait l'espace avec les nuages. L'adolescent et le chien avançaient en prenant les devants à tour de rôle. Ils marchaient et trébuchaient sans pour autant s'arrêter, poussés qu'ils étaient par le désir de s'évader à tout jamais de l'horreur qu'ils laissaient derrière eux.

Après quelques heures de marche, William se retrouva épuisé et engourdi par le froid. La moindre dénivellation de terrain lui semblait insurmontable, et il peinait à trouver le chemin le plus facile. La terre détrempée par la neige rendait sa progression périlleuse. Ses bottes glissaient et menaçaient sans cesse de le faire tomber.

Après une montée plus difficile que les autres, William fit face à un bosquet de broussailles épineux formant un véritable mur s'étendant sur des dizaines de mètres. Boucanier chercha le meilleur passage pour le traverser, allant et venant à vive allure. Ne sachant plus que faire, William attendit dans l'espoir de voir revenir son fidèle compagnon. Le chien se mit à japper énergiquement, attendant que son maître le rejoigne. Un espace moins dense laissait entrevoir la possibilité de passer sans avoir à faire à rebours le chemin parcouru avec autant d'efforts. William et Boucanier traversèrent enfin l'immense massif de végétation et débouchèrent dans une petite clairière. Ils continuèrent leur chemin pendant quelques heures.

Lorsque le soir s'approcha, étendant ses ombres au pied des grands arbres dénudés, William et Boucanier durent ralentir le pas.

— On doit s'abriter pour la nuit, Boucanier. Regarde, ce rocher là-bas devrait convenir.

Un gros roc entouré de sapins sur trois côtés les protègerait du vent. Ayant amassé du petit bois, William fit un feu auquel il ajouta du sapinage qui dégagea une odeur rassurante. Il avala sa nourriture avec un peu plus de facilité. Toutefois, même si son repas calma sa faim, il n'étancha pas sa peine. Épuisé, l'adolescent sombra enfin dans un profond sommeil. Boucanier s'installa près du feu et monta la garde, les oreilles dressées.

En pleine nuit, une vive lumière fit sursauter le chien. Il jappa, inquiet. Il tourna sur lui-même et s'avança vers la lumière, l'air menaçant. Cette lumière vive lui fit dresser les poils sur le dos. C'était cette même lumière qui avait aveuglé son maître et qui avait précipité leur avion dans la forêt. William ne s'éveilla pas; il voguait trop loin. Puis, la noirceur revint. Le chien gémissait en solitaire.

Cette lumière était restée de longues minutes, comme la veille, le temps de faire basculer trois vies. Cette fois, William n'en eut aucune conscience. Son beau visage, bordé de cheveux noirs ondulés et mi-longs était empreint de paix. Il rêvait à son père : ensemble, ils avançaient, heureux, dans la forêt. Son père souriait, semblait si vivant. Ils s'étaient arrêtés près d'une rivière et, assis sur un tronc d'arbre, comme il leur arrivait si souvent de le faire, ils discutaient de l'avenir. Son père lui faisait part de la confiance qu'il avait en lui ; il lui assurait qu'il se sortirait de ce mauvais pas.

— Fais-toi confiance, lui disait-il. Tu es plus fort que tu ne le crois. Je ne pensais pas partir ainsi et t'abandonner avec Boucanier... Ne m'en veux pas. Il faudra prendre soin de ta mère... je vais t'accompagner...

Finalement, William vit son père se lever et s'en aller en suivant le cours d'eau. Il ne se retourna pas et, levant le bras bien haut, il salua son fils, puis disparut.

L'adolescent ouvrit les yeux. Il baignait dans la lumière du matin, et le feu était éteint depuis longtemps. Il songea à ce rêve si réel. Il choisit de croire que son père l'avait visité dans son sommeil et qu'il ne l'avait pas abandonné. William savait qu'il pourrait compter sur lui.

— Merci, papa ! J'espère que tu dis vrai et que je peux me fier à toi. Je vais avoir besoin de ta force, de ta présence.

William raconta à Boucanier, son unique confident, ce rêve étrange, mais si beau. Comme s'il pouvait véritablement saisir le discours de son maître, l'animal écoutait, attentif. S'il avait pu parler, Boucanier aurait décrit à William la lumière qui l'avait fait tressaillir dans la nuit, cette lueur dont son instinct lui disait de se méfier. Mais cette apparition resterait son secret.

Après avoir emballé soigneusement tous ses biens, William sortit de l'abri que lui avaient offert les conifères. Devant lui se dessinait un cercle de neige fondue d'une grandeur incroyable. Boucanier jappait en faisant le tour du cercle et en regardant la cime des arbres. William se figea, perplexe et inquiet.

— Qu'est-ce que c'est ça ? Ce cercle n'était pas là, hier soir; je pourrais le jurer.

Boucanier jappa, se tortilla et gronda de nouveau devant le cercle. Que pouvait-il faire de plus ?

— Viens, Boucanier, partons d'ici au plus vite. Je n'aime pas cet endroit...

William accéléra le rythme pour mettre une certaine distance entre eux et la neige fondue.

CHAPITRE 3

Maria

Maria était sur le quai, les yeux rivés sur la montagne. Ses hommes, ses amours, rentraient toujours pour le repas du soir. Un bon plat mijoté et de bonnes tartes chaudes, qu'ils accompagneraient de crème glacée, les attendaient.

Depuis plus d'une heure, elle allait de la maison au bord du lac dans l'espoir d'entendre le bruit des moteurs. Mais toujours rien. Ce serait bien la première fois en douze ans qu'ils seraient en retard. Elle décida de cesser sa surveillance et d'attendre patiemment. Ils avaient dû être retardés par une trop bonne chasse. Elle aurait sans doute de nombreux lièvres à cuire, cette année. Elle en garderait quelques-uns au congélateur qu'elle servirait au réveillon de Noël lorsqu'elle recevrait la famille.

Vingt ans plus tôt, elle avait épousé Michael. Il était un amant doux et attentif, et malgré toutes ces années passées ensemble, ils dormaient encore dans les bras l'un de l'autre. Il était fort et protecteur, et elle était toujours charmée par ses yeux bleus, ses cheveux noirs et ses lèvres généreuses qui souriaient tout le temps. Il était son premier amour et le seul qu'elle aurait à tout jamais. Leur fils William ressemblait beaucoup à son père, à tout point de vue.

Maria sélectionna sa chanson préférée et rêva éveillée. La veille de leur départ pour la chasse, Michael, William et elle-même avaient beaucoup parlé et bien ri. Maria et son époux avaient toujours quelques projets en cours dont ils discutaient des heures durant. Au printemps, Michael voulait entreprendre la construction d'un foyer dans leur chambre. Ils pourraient veiller à la lueur du feu de bois et sentir sur eux la bonne chaleur qui se dégagerait dans la pièce. Ce songe l'emporta au pays du rêve véritable. Elle y retrouva son amour et se perdit dans ses bras pour la dernière fois.

La musique s'était tue depuis longtemps lorsque Maria s'éveilla. Le soleil déclinait, et l'avion n'était pas rentré. Elle fit quelques appels qui ne donnèrent aucun résultat. La peur et l'angoisse se mirent à l'envahir. Ses interlocuteurs avaient beau la rassurer, rien n'y fit.

Lorsque le jour étira ses ombrages et que lui succédèrent le soir, puis la nuit noire, Maria était assise sur le canapé devant un feu de foyer et se sentait flotter entre deux mondes, celui de l'inquiétude et celui de la sagesse qui lui disait de ne pas s'affoler. Elle ne pouvait se résoudre à aller dormir. Trop de questions se bousculaient dans sa tête. Les flammes dansaient sur son visage, accentuant ce qui restait de sa jeunesse. L'obscurité dissimulait les cheveux gris qui commençaient à strier sa chevelure brune.

Maria avait fait la rencontre de Michael sur la rive de ce lac où ils vivaient aujourd'hui, dans la maison construite par son père. Depuis ses premiers pas, elle avait tout appris dans cette maison. Son père, un amoureux de la nature tout comme Michael, lui avait montré les joies de la forêt ainsi que les plaisirs de l'eau et de l'observation des oiseaux. Son père lui avait également appris à apprécier le calme de l'aube et la paix du soir que l'on pouvait ressentir dans une chaloupe au milieu du lac. Ils y allaient souvent; son père déposait les rames, s'installait confortablement, et ensemble, ils admiraient le ciel étoilé. Ils écoutaient le chant de la nuit. Ils étaient en communion avec l'immensité de l'univers et avaient la sensation profonde d'en faire partie, d'être le vent, ou l'étoile ou bien le silence qui les enveloppait comme un doux manteau.

Peu de gens vivaient à l'année aux abords de ce lac, mais nombreux étaient ceux qui y passaient la belle saison. La maison de la petite Maria était gaie, remplie de musique et d'amis. Chaque été, son père organisait des festins arrosés de bon vin. Lorsque les invités partaient, Maria et les siens restaient dehors à écouter le chant des cigales et le clapotis des vagues sur les rochers. Trente mètres à peine séparaient la galerie du bord de l'eau, trente mètres de fougères, de talles de bleuets, de buissons de framboises et de délicats plants de fraises sauvages minuscules et sucrées. Son père étant allergique à la tondeuse, tout ce qui désirait pousser le pouvait.

Maria était devenue une jeune femme au caractère rieur. Elle aimait partager les activités familiales et ne s'éloignait que rarement des alentours du lac, où elle s'adonnait à un tas d'activités des plus variées. L'été, tous les jeunes se rassemblaient au restaurant de la plage publique pour y manger des frites et pour danser. C'est là qu'elle vit Michael la première fois. Elle croisa son regard et en fut à jamais retournée. Il lui sourit avec gentillesse. Il se dégageait de cet être une véritable joie de vivre. Elle sut avec certitude qu'il serait l'homme de sa vie. Elle n'avait jamais été attirée de cette façon par aucun garçon.

Le lendemain, endimanchée, les cheveux au vent, elle partit très tôt pour la plage. À sa plus grande joie, elle y retrouva Michael. Leurs yeux s'attachèrent comme des aimants. Avec un plaisir qu'elle ne tenta pas de dissimuler, elle accepta son agréable compagnie. Ce fut le premier après-midi de vingt ans d'une union merveilleuse, remplie d'entente et de si peu de peines qu'ils auraient pu facilement en faire le décompte. Ils étaient parfaits ensemble, car ils formaient un tout. Ils marchaient avec bonheur sur la route de la grande aventure de la vie à deux.

CHAPITRE 4

La survie

Le bras toujours en écharpe dans un foulard, William tentait d'oublier la douleur lancinante qui s'étendait du bout de ses doigts jusqu'à son épaule. Il faisait des plans pour rentrer chez lui. Il espérait ne pas prendre plus que cinq jours pour y arriver. Il ne ferait du feu que le soir et profiterait à fond des précieuses et trop courtes heures de lumière en cette période de l'année.

L'adolescent et son chien avaient repris la route depuis à peine une heure lorsqu'un vent du nord se leva, emportant avec lui une masse nuageuse, basse et noire comme de l'encre, annonciatrice de neige. « Il ne manquait plus que ça », pensa William.

Le temps changea rapidement. De grosses bourrasques sifflaient dans les arbres, et la neige se mit à tomber avec force. Le garçon et l'animal continuèrent d'avancer en luttant contre le vent qui les repoussait. Il faisait très froid. Autour d'eux, les rafales tournoyaient, et le vent s'engouffrait sous les vêtements de l'adolescent. Les bourrasques se gonflaient, faisant voler dans toutes les directions les flocons mêlés de grésil. Aveuglé et tête baissée, William luttait contre la tempête qui se voulait maîtresse des lieux. Les arbres gémissaient sous la force du vent destructeur.

— Viens vite, Boucanier ! cria William. On va devoir s'abriter, si on ne veut pas partir dans la tempête !

Aussi rapidement qu'il le put avec son seul bras valide, William amassa des branches de sapin et les déposa sur le sol afin de faire une couche de protection contre la terre glacée. Il fabriqua un toit rudimentaire en entrecroisant de longues branches cassées qu'il enfonça dans le sol qu'il creusa à l'aide de son couteau de chasse. Enfin, il étendit les sacs de couchage et fila avec son chien dans l'abri, encore un peu plus épuisé par cet effort qu'il avait dû fournir. William espéra que son abri de fortune ne s'envole pas dans cette furie déployée par la nature. Boucanier serré contre lui, il patienta. Il n'y avait rien d'autre à faire qu'attendre. Le garçon aurait aimé marcher encore afin de ne pas tourner et retourner sa peine. Cette immobilité laissait ses pensées et ses souvenirs ramener en boucle toutes les images qu'il venait à peine de quitter.

Comment allait-il apprendre à sa mère l'effroyable nouvelle ? Il imaginait sa douleur. L'union de ses parents était si profonde… Comment sa mère pourrait-elle survivre à cette disparition ? « À cette heure, se dit-il, elle a sûrement dû entreprendre des recherches pour tenter de nous retrouver. » William voulait à tout prix être auprès d'elle lorsqu'on retrouverait le corps de son père. Il ne voulait pas qu'elle voie ce visage qui n'avait plus rien de celui qu'ils avaient chéri.

Les genoux repliés sur la poitrine, William s'endormit. Au milieu de ses rêves, il pleura ; ses larmes se perdaient et se mêlaient à la plainte du vent qui courait au faîte des arbres. Le mauvais temps dura toute la journée et toute la nuit. À son réveil, la noirceur avait une densité impénétrable. Sa montre indiquait cinq heures. Était-ce le matin ou le soir ? Combien de temps avait-il dormi ? Il s'étira tant bien que mal dans l'espace restreint et poussa Boucanier qui n'attendait qu'un signal pour s'extirper de là.

— Allez, mon vieux, dehors, on étouffe ici.

La neige s'était amoncelée devant l'abri et il dut creuser pour se frayer un passage. Il sortit, le chien sur les talons. La neige avait cessé de tomber et un lourd silence régnait sur la forêt. Le paysage surréaliste semblait tiré d'une galerie de photographies. Son gîte de fortune entièrement recouvert de neige avait l'allure d'un igloo. Lentement, quelques timides rayons de lumière tentaient de se frayer un chemin à travers les branches habillées de lourds vêtements blancs. William comprit que c'était le début du jour.

Il avala une galette d'avoine qu'il partagea avec Boucanier et but quelques gorgées d'eau. Il offrit un peu du précieux liquide à son fidèle compagnon. S'ils venaient à manquer d'eau, William pourrait faire fondre la neige. Au moins, ils ne mourraient pas de déshydratation.

La température était douce en ce nouveau matin ; probablement au-dessus de zéro. La neige fondait doucement et les branches se délestaient du poids accumulé au cours de la nuit.

Rapidement, William réunit ses effets. Il avait suffisamment perdu de temps. Il sortit la boussole et vérifia soigneusement sa direction.

Avec toute cette neige, William aurait eu besoin d'une bonne paire de raquettes. Sa progression vers la maison était presque impossible. Boucanier s'enfonçait jusqu'au ventre dans le paysage tout blanc, et William, jusqu'aux genoux. Il respirait comme un damné et devait sans cesse s'arrêter pour reprendre son souffle. « Moi qui pensais rattraper les heures perdues la veille... », pensa-t-il en grommelant. Il transpirait, son gilet lui collait à la peau, et Boucanier le suivait, l'air de n'y rien comprendre.

— Qu'est-ce qu'on fait, mon vieux ? dit William. On s'arrête pour respirer un peu ? Toute cette neige nous ralentit...

Le chien le regardait, attentif, prêt à suivre les ordres. William avait peur. Le défi était colossal. Trois jours seulement s'étaient écoulés depuis l'accident, et pourtant, ils lui paraissaient une éternité. Il se laissa tomber sur le sol, accablé, vidé de la force indispensable à cet immense défi à relever. Étendu sur le dos, il regarda le ciel et la cime des arbres qui formaient un magnifique tableau. Le jour était totalement levé. Des oiseaux volaient bien haut, allant de branche en branche. Des écureuils se pourchassaient sur le tronc des arbres.

— Boucanier, toi et moi, on est vivants, comme tout ce que l'on voit ici. Mais mon père, lui... il est bel et bien mort. Je ne le verrai plus jamais. Je le dis et je ne parviens pas à y croire. À présent, nous devons prendre courage, gravir cette montagne qui est derrière nous et la redescendre sur l'autre versant. Tu comprends, Boucanier ? Comment on va faire ?

William était au bord des larmes. Le chien jappa doucement, comme pour indiquer qu'il comprenait très bien ce que disait son maître.

L'adolescent mit la main dans sa poche et sentit l'alliance de son père. Il l'examina et découvrit une inscription à l'intérieur : « Pour la vie, Maria ». Il se demanda si celle de sa mère était aussi gravée. Il passa l'anneau à son doigt. Ce geste le réconforta. Son père semblait plus près de lui ; il ressentait presque sa présence. Tout comme ses parents, il croyait à la vie après la mort, et il espérait réellement que son père, à cet instant, était à ses côtés. Un doux rayon de soleil vint caresser son visage comme une réponse à sa prière.

— Lève-toi, Boucanier ! ordonna-t-il à son chien. Il faut repartir.

Malgré leur bonne volonté et leurs efforts, William et son chien avançaient à peine. En quinze minutes, ils n'avaient progressé que de quelques centaines de mètres. À ce rythme, ils n'y arriveraient jamais. « Il me faut des raquettes », pensa William.

Malgré la douleur que lui occasionnait sa blessure au bras, il arracha deux longues branches à des arbrisseaux, les tailla et les recourba pour former des ovales. Il les noua ensuite avec des morceaux de tissu découpés à même sa couverture. Il fixa à cette structure plusieurs épaisseurs de petites branches de sapin qu'il tissa les unes aux autres. Grâce à la corde qu'il avait dénichée dans l'avion, il attacha enfin les raquettes à ses bottes. L'œuvre était très artisanale et il se demanda s'il pourrait faire un bon bout de chemin avec cet équipement.

— Boucanier, le moment de vérité est arrivé, dit-il en se relevant.

Il fit un pas, puis un autre. En douceur, il ressortait ses pieds de la neige rendue plus lourde par ce redoux digne du milieu de l'hiver. Il s'enfonçait beaucoup moins profondément dans la neige. Si son bricolage tenait bon, il réussirait certainement à avancer pendant quelques heures ; il l'espérait de tout son cœur. Il rechargea son sac, siffla Boucanier et, sans plus attendre, commença à gravir la pente. Chaque pas s'inscrivait dans son corps et dans ses pensées, emportant avec lui ce qui restait de son enfance.

De nouveau, le soleil déclina derrière lui, et la pénombre fit place à la lumière.

— On doit trouver un endroit pour dormir, Boucanier.

Avisant une dépression sur sa gauche, comme un vallon s'étirant à l'infini, il s'y dirigea dans l'espoir de trouver un recoin favorable. William et Boucanier serpentèrent plusieurs minutes entre des bosquets très denses. Puis, l'adolescent s'arrêta. Un sourire surpris éclaira son visage.

— Eh bien ! Regarde-moi ça ! La chance nous sourit enfin.

William se mit à rire à gorge déployée. Boucanier le regardait sans comprendre. Les oreilles basses, il semblait croire que son maître devenait fou, et il se mit à japper aussi fort que William riait.

— Ne t'inquiète pas, je vais bien, lui dit William. Regarde cette magnifique cabane de chasseurs. Un peu de vrai repos ne nous fera pas de tort, qu'est-ce que tu en penses ? Allez, mon chien, vas-y, on fait la course. Je te suis aussi vite que mes raquettes vont me le permettre. Crois-moi, ce ne sera pas long. Si je pouvais voler, je le ferais avec plaisir.

Le chien sembla comprendre, car il s'élança en direction de la cabane. Pour la première fois depuis trois jours, William avançait avec un plaisir anticipé. Le regard fixé sur la cabane, il se sentait plus léger, imaginant le bonheur de passer quelques heures sous un vrai toit. Il ne la quittait pas du regard, de peur qu'elle ne s'évanouisse dans la nature.

Boucanier l'attendait, sagement couché dans la neige. Un simple crochet fermait la porte que William s'empressa d'ouvrir. Les murs de rondins n'étaient éclairés que par une petite fenêtre. Une galerie minuscule couverte d'un toit en pente complétait la construction rudimentaire.

Lorsque ses yeux se furent habitués à l'obscurité, William découvrit avec ravissement la présence d'un poêle à bois, de dizaines de rondins de toutes les grosseurs pour alimenter le fourneau de vieille fonte, d'une table assortie de sièges taillés à même de grosses bûches et d'un lit de bois auquel manquait un matelas, mais dont il saurait facilement se passer après son expérience des derniers jours. Cette cabane était presque un paradis.

L'adolescent déchargea ses épaules fatiguées du lourd sac qu'il traînait et laissa échapper un long soupir d'épuisement et de soulagement. Étendu sur le lit de planches, il ferma les yeux et profita d'un instant de repos bien mérité. Une douce brise entrait par la porte entrouverte et venait caresser son visage. Il ne dormait pas. Il se laissait bercer par la tranquillité apaisante du moment.

Il s'étira et s'assit à contrecœur. Sans difficulté, il alluma un bon feu. L'humidité disparut pour laisser place à une ambiance confortable. Les flammes dansaient, murs et plafond rougeoyant. Il repensa à son dernier Noël en famille, à la maison remplie d'invités. À présent, que serait le temps des Fêtes ? Il ramènerait le souvenir de la peine et marquerait l'absence. Il ne savait comment il vivrait sans son père, qu'il avait cru immortel.

Il se leva et s'appuya au chambranle de la porte pour s'abreuver un peu de la voûte étoilée. Pas un seul nuage ne cachait son immensité. La lune éclairait les alentours et donnait à la forêt un air de quiétude.

Venant de l'arrière de la cabane une lueur apparut, une lumière aveuglante comme celle d'un phare, éblouissante, trop vive. William se précipita à l'intérieur de la cabane et se colla contre le mur. On le suivait. Pourquoi ? Que cachait cette lumière ? Que lui voulait-elle ? Il avait ce sentiment d'être à la merci d'une force maléfique contre laquelle il n'avait aucune défense. Elle était gigantesque et bloquait la vue de William. Toute la matière, à peine visible sous ces phares impitoyables, prit une apparence illusoire, irréaliste, digne des films de fiction à la mode. Si au moins l'adolescent avait eu un cellulaire, il aurait pu filmer cette lumière. Il aurait aussi pu contacter les secours. Or, aussi loin en montagne, aucun système de communication ne fonctionnait, aucune des ondes déployées pour servir villes et villages n'avait assez de puissance. Livré à lui-même depuis l'écrasement, il ne pouvait compter sur rien ni personne… Simplement sur sa force intérieure et son espoir.

Il était tapi dans l'ombre, priant pour que la lueur s'éloigne et retourne à l'univers d'où elle était issue. Ce phénomène responsable de la mort de son père le harcelait. La lumière s'éleva très haut au-dessus des arbres, puis redescendit, touchant presque le toit de la petite maison vulnérable. Elle laissa ensuite paraître un ensemble de couleurs diverses qui clignotaient à intervalles réguliers. Enfin, comme elle était venue, silencieuse et avec la rapidité d'un éclair apparaissant et disparaissant dans le ciel, elle se dissipa en une fraction de seconde sans laisser de trace.

William transpirait à grosses gouttes. L'angoisse l'avait envahi totalement une fois de plus. Il n'arrivait pas à reprendre ses esprits et à retrouver son calme. Boucanier grognait, faisant la navette entre la porte et le fond de la cabane, là où son maître s'était accroupi, la tête posée sur sa seule main valide.

De longues minutes s'écoulèrent avant que William ne décide de quitter sa position de repli. Avec précaution, il s'approcha de la porte, l'ouvrit et jeta un regard rapide à l'extérieur. Rien, il n'y avait plus rien d'autre que la forêt, la neige et le silence.

Il ferma la porte et cala une bûche de bois derrière, puis une seconde. Il aurait voulu barrer cette porte et faire disparaître la cabane de chasseurs pour la rendre invisible à cette fichue lumière.

Ne pouvant rien faire de plus pour se protéger, il s'étendit sur le lit dur et se promit de rester éveillé. Mais rapidement, il s'endormit.

CHAPITRE 5

Les recherches

Dès la deuxième journée, des amis de la famille s'associèrent aux policiers pour entreprendre les recherches. Leur seul indice était la direction vers laquelle Michael et William s'étaient envolés. La nature était grande et sauvage, les montagnes succédaient aux montagnes, les forêts, aux vallons. Les rivières et les lacs étaient partout, et l'avion de Michael pouvait être n'importe où. Aucun signal de détresse n'avait été émis. L'appareil s'était-il posé ? S'était-il écrasé ? Toutes les questions demeuraient en suspens.

Maria restait assise à la fenêtre et guettait le ciel. Ses traits, marqués par l'inquiétude, se tiraient au même rythme que les heures s'écoulaient. Au fond d'elle, un vide étrange ne la quittait pas, comme un mauvais pressentiment. Sans son mari et son fils, sa vie devenait fade et sans couleur. Ils étaient sa raison d'exister, la nourriture de sa journée, le soleil qui la faisait danser, le feu qui la réchauffait. Elle craignait de se retrouver seule face aux ombres de la nuit. Lorsqu'elle était épuisée de faire le guet, elle s'installait devant le foyer, aux côtés de sa mère, Meagan, accourue dès qu'elle avait appris la disparition de son gendre et de son petit-fils. Maria pleurait en regardant les flammes dansantes, indifférentes à son malheur.

Ce soir-là, sa mère se leva et pria tous les saints du ciel pour qu'ils ramènent Michael et William.

— Mon Dieu, dit-elle, n'aimes-tu pas le bonheur ? Cette famille était-elle trop heureuse ? De quoi veux-tu donc les punir ? Si tu es tout-puissant, il serait temps de le prouver.

Meagan sentait monter en elle la révolte. Elle aurait aimé crier cette colère et cette rage que lui apportait la peur à la face du ciel pour que tous l'entendent.

Elle veilla jusqu'au lever du jour. Elle réussit à faire le vide et à chasser un peu toutes les pensées qui la torturaient. Elle voulait être forte pour sa fille. Elle devait la soutenir dans cette épreuve.

* * *

Ce jour-là, tous les hommes disponibles se joignirent aux policiers et aux gardes forestiers pour poursuivre les recherches qui duraient depuis près d'une semaine. Bernard, le père de

Maria, âgé de soixante-quinze ans, participait aux recherches depuis le premier jour.

Il observait sa femme et sa fille endormies l'une à côté de l'autre et songeait comme il était privilégié de vieillir auprès de son épouse. Sa fille devrait-elle poursuivre seule son existence ? Il laissa le cours de ses réflexions et se prépara afin de rejoindre les équipes qui se formaient pour la journée. C'était un matin glacial et le vent soufflait plus qu'à l'ordinaire. Il avala un déjeuner copieux, se vêtit chaudement et, sans bruit, ouvrit la porte qui grinça. Le bruit éveilla Maria.

— Papa, n'y va pas ! Reste ici ! Tu es fatigué, les équipes sont assez nombreuses. Tu peux nous tenir compagnie, à maman et à moi. Ta présence n'est pas de trop dans la maison.

— Regarde-moi bien, ma fille, je vais continuer tant que nous ne saurons pas…

— Papa, j'ai si peur !

— Je sais. J'ai peur aussi, mais on doit continuer à espérer.

Bernard embrassa sa fille et la tint un moment contre lui. Doucement, Maria repoussa son père et le regarda, songeuse.

— Je viens de me rappeler une conversation que j'ai eue avec Michael, quelques jours avant son départ. Il me parlait d'un territoire, à environ trois heures d'avion d'ici ; on lui avait rapporté que la chasse aux lièvres y était excellente. Tu te rappelles, l'an dernier, la chasse n'a pas été très bonne. Je me demande si une fois en vol, Michael n'aurait pas décidé d'aller jeter un coup d'œil sur ce territoire. Cela expliquerait pourquoi nous n'avons rien trouvé jusqu'à maintenant.

— C'est certainement une piste à explorer. Je dois essayer de trouver qui lui a parlé de cet endroit. Malheureusement, il y a de fortes bourrasques, aujourd'hui. Je ne suis pas certain que les avions vont pouvoir décoller. Confiance, Maria !

Bernard lui lança un sourire d'encouragement et s'empressa de rejoindre les hommes réunis à l'aéroport, où il retrouva son ami Sam, le garde forestier. C'est lui qui avait pris la direction des opérations. La petite salle de réunion était littéralement envahie par des dizaines de personnes qui désiraient prêter main-forte à la famille éplorée. On ne refusait personne, il y avait trop d'endroits à explorer. Sam s'empressa de prendre la parole :

— Mes amis, gardez le silence quelques minutes, s'il vous plaît. Nous avons aujourd'hui une nouvelle piste. Maria a fait part à son père d'une conversation récente qu'elle a eue avec Michael : quelqu'un lui aurait indiqué une région au nord-ouest qui serait un véritable paradis pour le petit gibier. L'un de vous saurait-il où se trouve cet endroit ?

— C'est moi qui lui en ai parlé, dit Vincent, l'un des volontaires. Je n'y suis jamais allé, mais on en parle dans les camps de bûcherons. C'est plus loin que les chantiers, à trois heures au nord-ouest. Il faut suivre la rivière et on arrive à un lac en huit facile à reconnaître, c'est le seul aussi gros dans cette région-là.

— Je vois, dit Sam. J'ai déjà survolé ce coin, je crois savoir où il se trouve. Malheureusement, on ne pourra pas décoller aujourd'hui, les vents sont trop forts. Alors, retrouvons-nous ici demain à la première heure, en espérant que la température sera favorable. Si Michael et William sont toujours de ce monde, il est grand temps qu'on les ramène à la maison.

Le cœur de Bernard se serra en entendant ces paroles. Jusque-là, il avait fait taire l'affreuse éventualité de la mort des chasseurs, mais Sam venait de la lui lancer en plein visage. Il savait que Michael était parfaitement capable de passer plusieurs jours en forêt, même en hiver. Il n'en était pas à ses premières armes dans ce domaine.

Mais s'il y avait eu un écrasement d'avion et que son gendre et son petit-fils étaient blessés, ils ne pourraient résister au froid et à la faim bien longtemps. La volonté de survivre ne suffit pas toujours. Bernard resta assis aux côtés de Sam, l'air abattu.

— Je suis désolé, reprit Sam, mais ça augure mal. Ça fait presque une semaine…

— Oui, je sais. Tu as raison. Maria est morte de peur, et j'avoue que je le suis aussi.

— Écoute, Bernard, il vaut mieux rentrer, c'est fichu pour aujourd'hui. Aussi longtemps que l'on n'aura rien trouvé, il restera tout de même un espoir !

— Tu as sans doute raison. Si tu veux me ramener en voiture, je l'apprécierais. Ce matin, j'ai fait la route à pied, histoire de m'aérer les idées, mais là, j'avoue que je me sens vidé.

— Bien sûr, mon vieux, viens.

Ils firent le chemin du retour en silence. Le vent sifflait et soulevait la neige dans un brouillard aveuglant, confirmant la sagesse de leur décision de ne pas voler. Malheureusement, l'hiver était précoce cette année et empiétait sur l'automne.

— Quelle horrible saison ! lança Sam. On a eu un été qui a ressemblé à l'automne et un automne qui s'est changé en hiver aussitôt arrivé.

— Tu veux rentrer prendre un café ? Un peu de compagnie ne serait pas de refus.

— Tu es certain que ça n'ennuiera pas les femmes ?

— J'en suis persuadé !

Les deux hommes descendirent de la voiture et entrèrent dans la maison. Maria se figea en voyant Sam. Remarquant son trouble, il s'empressa de la rassurer :

— Il y a trop de vent, on ne peut pas décoller. Pour l'instant, il n'y a rien de nouveau.

— Ah ! dirent d'un seul souffle Maria et sa mère, soulagées. Ça nous fait plaisir de vous voir, ajouta Meagan. Entrez vite vous réchauffer.

— Je veux vous remercier pour tout ce que vous faites, dit Maria. Je ne l'oublierai jamais.

La mère de Maria apporta un pot de café fumant sur la table de la cuisine et une assiette remplie de galettes d'avoine cuisinées le matin même.

— Aussitôt que ce sera possible, reprit Sam, nous nous dirigerons vers le territoire que tu as évoqué, Maria. Dans une petite communauté comme la nôtre, on est un peu comme des frères et sœurs. On participe à tous les mariages, à tous les baptêmes. On n'a pas le même sang, mais c'est tout. Tu pourras toujours compter sur moi, de jour comme de nuit.

Maria se leva pour embrasser Sam, puis se précipita en pleurant vers la salle de bain.

— Excuse-moi, dit-elle.

— Il faut que tout cela prenne fin, dit Bernard. Quelle que soit la fin, il faut savoir.

* * *

Pendant les deux jours qui suivirent, les vents continuèrent de souffler, levant une poudrerie qui empêchait toute visibilité. Le lac gelait petit à petit.

Rapidement, on remplaça les flotteurs des hydravions par des skis afin de pouvoir continuer les recherches. Les hommes devaient attendre que le temps se calme, car pour apercevoir un avion au milieu d'une forêt enneigée, ils devaient voler très bas, presque sur la tête des arbres. Malheureusement, l'avion de teinte argentée de Michael risquait de se confondre avec la neige. Il n'y avait qu'un cercle rouge qui décorait la queue de l'appareil.

Ce mauvais temps accorda à Maria un moment de répit; les hommes ne pouvant sortir, ils ne pouvaient apporter de mauvaises nouvelles. « Les choses de la vie sont étranges, pensa-t-elle. On marche sans cesse sur une corde raide, on côtoie le précipice, mais on ne le sait pas. »

* * *

Enfin, le ciel se calma. Il était chargé, prêt à déborder, mais la météo n'annonçait plus de précipitations. Il était tombé plus de vingt centimètres de neige, du jamais vu en cette période de l'année.

Sam s'empressa de réunir les hommes qui pouvaient reprendre les recherches. Il détermina pour chacun un couloir précis à survoler. Huit avions prirent leur envol avec la ferme intention de patrouiller jusqu'au coucher du soleil, si cela s'avérait nécessaire.

Sam et Bernard se réservèrent la route la plus susceptible d'avoir été empruntée par Michael. Leur avion frôlait presque la tête des grands arbres. Bernard, muni de lunettes d'approche, avait les yeux rivés sur la forêt qui se déployait sous leurs pieds. De la neige et des arbres sans feuilles mêlés aux grands sapins se succédaient à l'infini. C'était désert et morne. Il ne voyait plus la beauté dans ce paysage gigantesque.

— Sam, tourne sur ta gauche. Je veux vérifier un détail.

Sam s'exécuta.

— Non... ce n'est rien. Juste une vieille cabane en bois dont le toit de tôle brille. J'ai cru...

Tout en bas, au centre des arbres serrés les uns contre les autres, William gesticulait, mais Bernard et Sam ne le voyaient pas. L'avion avait déjà tourné le dos à William et à Boucanier lorsque ceux-ci, attirés par le bruit, s'étaient mis à découvert.

Avec minutie, Sam et Bernard continuèrent d'examiner le secteur, passant et repassant au-dessus des vallons et des collines.

Puis… ils le virent. Il y avait, sur le blanc immaculé de la neige, une tache rouge, pas très grosse. Sam tourna et repassa au-dessus du site.

— C'est possible que ce soit son avion. Il est bien caché, dit Sam, mais j'ai cru apercevoir une aile avec du rouge. Impossible de s'arrêter tout près. Je vais faire un tour de reconnaissance. Il y a peut-être un lac gelé sur lequel on pourrait se poser.

— Oui, tu as raison, dit Bernard.

Le père de Maria ne pouvait détacher ses yeux de la scène qui se déployait sous lui. Son pouls résonnait si fort dans ses oreilles qu'il aurait pu lui défoncer les tympans.

— Je n'ai perçu aucun mouvement, ajouta-t-il si bas que Sam l'entendit à peine.

— Ils sont sans doute partis. Tu ne crois tout de même pas qu'ils sont restés là tout ce temps à nous attendre. Tu oublies que Michael n'avait indiqué à personne son intention de venir chasser ici.

— Espérons que tu dis vrai, Sam. Je n'ai pas un bon pressentiment. Il a l'air drôlement abîmé, cet avion.

Après avoir survolé le territoire pendant de longues minutes, Sam brisa le silence :

— Je ne vois aucun endroit où l'on pourrait se poser, Bernard. On va devoir rentrer et demander l'hélicoptère. On pourra descendre avec une échelle de corde.

— Écoute, Sam, avant d'avertir Maria de ce que l'on vient de voir, il est préférable de revenir jeter un coup d'œil. Ne l'inquiétons pas pour rien. Avertissons les gars de tout arrêter pour aujourd'hui ; il est inutile qu'ils continuent pour l'instant.

— Je suis d'accord avec toi. Allons chercher l'hélicoptère.

* * *

— Salut, dit Sam à Stephan, qui était assis derrière le bureau.

— Alors, vous avez du nouveau ?

— Oui, c'est possible. À environ une heure d'ici, au pied d'une colline, on a repéré un appareil accidenté. Ça pourrait être celui de Michael. Ça nous prend l'hélico, nous ne pouvons atterrir nulle part.

— Je ne peux pas vous aider tout de suite. J'ai dû envoyer l'hélicoptère faire un ravitaillement sur le chantier de coupe. La tempête des derniers jours a isolé les hommes. Je vous appelle aussitôt qu'il rentre et je communique avec le pilote pour qu'il revienne au plus vite.

— On sera chez Maria. Si tu lui parles, ne dis rien. On préfère aller voir avant de lui annoncer quoi que ce soit.

— Je comprends. Je vais faire attention.

Sam et Bernard quittèrent le bureau de Stephan.

— Je suis déçu de ne pas pouvoir partir sur-le-champ, dit Bernard. Je m'y attendais un peu, car il est rarement libre, cet hélicoptère.

— Viens, il faut manger, répliqua Sam. Pour l'instant, la vie continue. Nous n'avons d'autre choix que d'attendre.

Meagan, la grand-mère de William, accueillit à bras ouverts son mari et Sam. Elle vit leur regard triste et frissonna. Elle prépara un repas que les hommes mangèrent sans appétit. Ils l'avalèrent dans le seul but de reprendre des forces et de permettre au temps de s'écouler. Ils n'avaient l'âme à rien. Ils étaient à plat. Leur batterie interne était déchargée. L'inquiétude se lisait au fond de leurs yeux.

CHAPITRE 6

La lumière

William était sur la petite galerie et observait l'environnement. La douce chaleur du feu s'échappant du poêle de fonte lui chauffait les épaules, le faisant revivre. Il avait dormi et la lumière ne s'était plus manifestée. Toutefois, il demeurait aux aguets, suspectant chaque mouvement ou lueur insolite.

— Tu sais, Boucanier, si je le pouvais, je resterais un moment dans cet endroit. C'est si paisible…

La nature sembla entendre son souhait, car la neige se mit à tomber. De forts vents la soulevaient et la poudrerie cachait ciel et terre. William s'encabana avec une pleine brassée de bois pour alimenter son feu. L'adolescent avait songé à prendre la carabine et à se mettre à l'affut de gibier, mais il décida de poser un collet près de la cabane, et au bout de quelques heures, il y attrapa un lièvre imprudent qu'il partagea avec Boucanier, au grand plaisir de celui-ci. Installé bien au chaud, l'adolescent somnola paisiblement, s'éveilla, mangea, se reposa, se laissa vivre et accepta cet intermède envoyé par le ciel, sa peine bien calée au fond de son être.

Le jour s'était de nouveau levé, sans la luminosité régénératrice qu'auraient pu apporter les rayons du soleil. William n'entendait plus le vent qui avait sifflé autour des troncs glacés et dégarnis de leur feuillage. Par la petite fenêtre, il devinait sans peine le ciel totalement couvert.

Un ronronnement lointain attira son attention. Il enfila ses bottes, courut à la porte et scruta le ciel. Il en était certain, c'était un moteur d'avion. Si l'appareil passait assez près de la cabane, on le verrait peut-être ? William s'avança dans la neige, les bras levés vers le ciel. Il gesticula, en vain. Boucanier jappa. L'avion tourna, passa au-dessus d'eux et repartit comme il était venu. L'adolescent savait que ce bimoteur était celui de Sam. Dans la région, seul Sam avait un avion peint aux couleurs excentriques d'un oiseau du paradis.

— Sam ! cria William. Je suis là ! Reviens, je t'en prie ! Je t'ordonne de revenir. Ce n'est pas possible… Tu n'as pas le droit de me laisser là ! Je te déteste !…

À genoux dans la neige, il imagina avec découragement l'immense distance le séparant de chez lui. Longtemps il demeura ainsi, observant le ciel et tendant l'oreille dans l'espoir de revoir l'avion.

Il remballa ses effets, éteignit le feu qui l'avait si bien réchauffé, referma la porte afin de laisser intact le refuge qui un jour servirait peut-être à un autre voyageur perdu, chaussa ses raquettes improvisées, s'assura qu'aucune lumière étrange ne l'observait et que l'avion de Sam ne revenait pas vers lui, et recommença à escalader la montagne. Boucanier le devançait et l'encourageait par de bruyants jappements, croyant peut-être que toute cette aventure était un jeu. William aurait aimé ressentir l'insouciance de son compagnon qui semblait déjà avoir oublié l'accident et la mort de Michael. Il ne pouvait lui en vouloir ; que pouvait comprendre son chien de toute cette tragédie ?

Après quelques heures de marche, fatigué par l'intensité de l'effort, William s'arrêta pendant quelques instants afin de reprendre son souffle. Assis sur un arbre mort depuis longtemps, il dégusta des fruits secs trouvés au fond de son sac et en offrit à Boucanier. Son geste lui rappela le merveilleux rêve qu'il avait fait en compagnie de son père.

Un intense rayon de soleil apparut au-dessus de lui. Heureux de constater la brèche qui venait de se faire dans la couche nuageuse encore si dense quelques minutes auparavant, il leva la tête pour offrir son visage à la chaude caresse des rayons solaires. Les yeux ronds de stupéfaction, il resta totalement interdit par ce qu'il voyait au-dessus des arbres.

— Nom de Dieu ! Qu'est-ce que c'est ça ?

La lumière, vive comme l'éclair, passa au sommet de la montagne, embrassant tout ce qui l'entourait. Elle se déplaça ensuite en ligne droite, demeura stationnaire deux ou trois secondes tout au plus, fit clignoter des lueurs aux couleurs pastel et s'évapora de nouveau, sans laisser de trace.

— J'en ai assez de cette lumière qui a tué mon père ! C'est à moi que vous en voulez, à présent ? Un cadavre ne vous suffit pas ?

William aurait bien aimé pouvoir changer de direction et rentrer chez lui par un autre chemin, mais lequel ? Il n'était pas rassuré par ce phénomène pour lequel il n'avait aucune explication et qui était la source du drame qu'il vivait. Sa boussole indiquait qu'il devait aller vers l'est, et c'est ce qu'il ferait envers et contre tout.

Avec la seule force de son bras valide, il s'aidait des troncs d'arbres pour gravir péniblement la pente qui menait au sommet de la montagne.

L'après-midi tirait à sa fin lorsqu'il atteignit le plateau rocheux qui marquait le haut de la montagne. Le rocher était entouré de quelques arbres rabougris qui tentaient de se faire une place dans la lumière. Devant lui s'étendait une vue à couper le souffle. Le plateau surplombait une vallée où se trouvait un lac, son lac… Il l'aurait reconnu entre mille, pour l'avoir tant de fois survolé avec son père. Cette vision lui redonna le courage de poursuivre sa route. Il se sentait moins seul à présent qu'il pouvait mesurer la proximité, quoique relative, de sa demeure.

— Boucanier, mon bon chien, dit-il en caressant la grosse tête de l'animal, regarde, on a pris la bonne route, on ne s'est pas trompés. Tu vois ce lac, mon chien ? C'est chez nous.

Le chien, content de constater le plaisir de son maître, courait joyeux d'un bout à l'autre de la corniche. William savait pertinemment que le chemin était encore long, mais au moins, il savait exactement où il se trouvait.

Déjà, la lune faisait son entrée dans le ciel froid de ce presque hiver où le soleil lui cédait très tôt sa place. William jeta un œil à la ronde pour trouver un endroit à l'abri des intempéries. À la lisière de la forêt, une épinette majestueuse avait poussé en prenant tout l'espace disponible.

Elle étirait allègrement ses branches basses pour former un abri recherché par les enfants qui jouent à la cachette. Sur le sol, il étendit une toile trouvée dans la cabane et qu'il avait pris soin d'apporter. Il déroula les sacs de couchage et s'engouffra dans le refuge avec son chien. Bien qu'à l'air libre, ils étaient confortablement installés et presque au chaud. Les branches très basses les protégeaient du vent.

* * *

Venant du nord, il s'approcha sans bruit aucun. Il se gara au-dessus de William qui dormait déjà. Les jappements subits de Boucanier réveillèrent son maître. L'adolescent et l'animal étaient submergés par une lumière aveuglante provenant d'un objet de forme inconnue. Ce n'était pas un avion. William n'avait jamais rien vu de tel.

L'engin, dont il ne pouvait mesurer la dimension tant il était imposant, avait la forme d'une crêpe. Des centaines de petites lumières s'allumaient et s'éteignaient alternativement sur son pourtour. William était figé, debout sous l'appareil. Il aurait voulu prendre ses jambes à son cou et dévaler la montagne à toute vitesse, mais il était paralysé. Son corps couvert de sueur était pris de tremblements spasmodiques sur lesquels il n'avait aucun contrôle. « Je souffre de folie, pensa-t-il. C'est le choc de l'accident, je vais m'éveiller. Allez, William, sors-toi de là, mets les pieds sur terre ! » Il eut beau se réprimander, rien n'y fit. Il demeurait dans le même état.

Un grondement sourd se fit entendre. Sous l'appareil, un panneau de la grandeur d'une maison glissa doucement, laissant une ouverture béante débouchant sur un tunnel noir et sans fin. Un faisceau lumineux d'une brillance aveuglante se dirigea sur le garçon et l'enveloppa comme un sac.

Boucanier, qui n'était pas englobé par le phénomène, s'agitait autour de son maître, la queue dressée, les crocs sortis en grondant pour chasser le monstre. William voulait crier, mais il était totalement aphone, prisonnier d'un film d'horreur dont il ne pouvait s'échapper.

Subitement, ses pieds quittèrent le sol. Il flotta au-dessus de la neige. Pendant quelques secondes, il resta suspendu, puis très lentement, il continua son ascension. Son corps bascula parallèlement à la terre, son visage faisait face à ce trou où il se dirigeait irrémédiablement et contre sa volonté. Il tournait comme un disque que l'on met en marche. « Je vais vomir, pensa-t-il. Non, je vais mourir ! »

Sa bouche silencieuse appelait au secours. Il entendait Boucanier qui hurlait comme un loup. William s'approchait de la gueule ouverte de l'envahisseur. Il se préparait à disparaître à tout jamais. « Un ovni... On va m'enlever dans un ovni... » Il deviendrait l'un de ces cas de disparitions inexpliquées.

Au moment où il commença sa montée dans le tunnel, il ressentit une forte accélération qui le tira vers l'avant. Une succion puissante l'aspira. Il se sentit démantelé et perdit connaissance.

Boucanier jappait comme s'il était remonté par un mécanisme à batterie. Il s'inquiétait des soubresauts qui secouaient son jeune maître. William n'avait plus aucun contrôle sur les mouvements de son corps. Un vif rayon de lumière traversait encore la barrière serrée des branches où il croyait préalablement se reposer.

L'adolescent ouvrit les yeux. Déboussolé, ne saisissant pas immédiatement où il se trouvait, il tournait la tête de droite à gauche, cherchant à accrocher son regard sur quelque chose de familier. Il vit Boucanier qui le fixait. Un puissant soleil traversait les longues branches du conifère où il s'était réfugié pour caresser avec insolence son visage endormi. La journée était déjà bien avancée.

Secoué par ce songe étrange, pour ne pas dire cet affreux cauchemar, William s'étira et frotta vigoureusement ses membres pour tenter de dissiper le malaise qui continuait de l'habiter. Comment oublier la lumière qui avait provoqué l'accident d'avion ? Comment oublier le cercle de neige fondue devant son abri de fortune, quelques jours auparavant ? Comment oublier la vive lueur sur la cabane de chasseur qui avait fini de le remplir de terreur ?

Il se leva enfin et alla rejoindre Boucanier, ce dernier rassuré de voir son maître retrouver ses esprits. Les images de la nuit continuaient de l'habiter, mais il désirait de tout son cœur les oublier. Il avait eu si peur. Ensemble, l'adolescent et l'animal admirèrent le paysage qui s'étendait au-delà du rebord de la falaise. Le calme de la nature rasséréna William.

* * *

La veille, alors qu'il marchait péniblement dans la neige, le garçon avait pris une décision, celle de consigner dans un carnet, celui qu'il laissait en permanence dans l'une des pochettes de son sac à dos, tous les évènements précédant l'écrasement.

— Viens, Boucanier, viens, mon chien.

L'animal obéit et s'étendit aux côtés de son maître qui était assis en indien sur le bord de la falaise. William défit l'écharpe qui soutenait son bras et constata avec plaisir que l'intensité de la douleur s'était transformée en simple désagrément.

Crayon à la main, il prit quelques minutes pour réfléchir à la manière de raconter les derniers instants avec son père.

« Mon père et moi avons quitté notre domicile en souriant, le cœur rempli de bonheur et de joyeuses anticipations en vue de ces journées de vacances tant attendues. Au bord du quai nous attendait l'hydravion. La veille, nous avions fait les vérifications d'usage. Tout était parfait. Nous n'avions rien à craindre.

« Ma mère s'activait entre la maison et le quai, apportant sacs et provisions. Chaque pièce de notre matériel avait son importance, particulièrement nos sacs de couchage en duvet, qui nous tiendraient au chaud sous les basses températures, et notre tente. Mon père ne voulait pas aller dans les camps de chasse ; ce qu'il préférait par-dessus tout, c'était de dormir quelques nuits au centre de la nature, dans un endroit que l'on choisissait nous-mêmes. Nous nous installions souvent aux abords des lacs où nous posions notre hydravion. Là, le ciel offrait son spectacle grandiose à notre regard.

« Ma mère et mon père se sont embrassés, puis ç'a été mon tour de recevoir les chaleureuses caresses de ma mère. Tout naturellement, Boucanier s'est installé sur le siège arrière, prêt au décollage. Il adorait voler. Si nous avions le malheur de prononcer le mot « avion », il s'élançait sur le quai et s'agitait frénétiquement.

— On y va, a lancé mon père.

« Mon père était un ingénieur forestier ; la forêt était sa passion. Cette forêt des Hautes-Laurentides n'avait pas de secrets pour lui. Il y consacrait sa vie et ses énergies pour tenter de la protéger des coupes à blanc effectuées par les entreprises forestières.

« L'hydravion s'est élancé, l'hélice tournant à plein régime. Les skis ont rebondi sur la surface de l'eau dans de joyeux soubresauts et l'appareil nous a emportés. Nous avons fait un dernier tour au-dessus de la maison pour saluer ma mère qui se tenait toujours sur le quai et qui nous envoyait la main.

— Content ?

— Et comment ! On pourrait faire ça plus souvent ?

— Regarde, William.

« Joignant le geste à la parole, mon père a incliné l'appareil au-dessus des arbres pour me permettre de mieux voir la beauté et l'immensité de cette nature encore sauvage. La densité de la forêt offrait un spectacle impénétrable, sauf en quelques endroits où des brèches permettaient d'apercevoir des lacs et des rivières reposant au cœur de la nature.

— J'adore ça, papa !

« Il m'a regardé, tout sourire. Ses yeux pétillaient du plaisir de cette expédition. À présent, alors que j'écris ces souvenirs, je me dis que cet instant en fut un de magie, de douce éternité inscrite à jamais dans ma mémoire.

« Le moteur ronronnait joyeusement. Nous avons gardé le silence quelques minutes, absorbés que nous étions par l'observation si agréable du spectacle qui se déroulait sous nos pieds. J'étais privilégié ; peu de mes amis avaient cette chance.

— Bientôt, tu vas apprendre à piloter, a lancé mon père. Qu'en dis-tu ?

— Tu es sérieux ?

— Bien entendu ! Tu as seize ans et je crois que tu as une tête sur les épaules. Assez en tout cas pour que l'on songe à t'offrir cette opportunité.

« J'étais tout sourire. Je n'aurais jamais imaginé que mon père songeait déjà à me permettre cet apprentissage.

— Au printemps, ce sera parfait. Tu passeras l'hiver à te préparer et à te documenter sur notre hydravion, ses composantes, la mécanique... Il faut connaître son appareil dans les moindres détails pour être un bon pilote.

— Je ne sais pas quoi te dire. Je suis tellement content !

« Je souriais de plaisir anticipé. J'ai tourné la tête et tendu la main pour caresser Boucanier. Il avait, tout comme nous, l'habitude de ces envolées et ne démontrait jamais la moindre inquiétude, bien au contraire.

— Je vais aller jeter un œil vers ce territoire de chasse dont on m'a parlé. On m'a dit que le gibier y abonde. Qu'en penses-tu, William ?

— Comme tu veux ; le pilote, c'est toi... Pour le moment, ai-je ajouté en riant. Peu importe où l'on se pose, le plus important c'est d'être ensemble.

« Voilà, c'est le dernier échange que j'ai eu avec mon père. La suite, c'est la surprise, le questionnement, la peur. Devant nous, aveuglante, irréelle, cette lumière arrivée de nulle part nous a caché ciel et terre. Mon père était muet de stupéfaction, ses mains crispées sur les commandes. La peur nous a gagnés tout entiers. Je me suis agrippé au tableau de bord, espérant que ce n'était qu'un mauvais moment qui se dissiperait très vite. Boucanier s'est mis à japper et à grogner, les oreilles dressées. Impossible d'évaluer le passage du temps… Cette lumière nous a-t-elle éblouis pendant quelques secondes, quelques minutes ?

« Subitement, notre appareil a piqué du nez. La tête des arbres est apparue comme un lapin sorti du chapeau d'un magicien. J'aurais pu les toucher. Mon père criait et tentait de redresser le nez de l'appareil… sans succès.

« Quel bruit ! Que d'effroi et d'incompréhension, alors que nos vies basculaient vers l'inconnu. »

— Voilà, Boucanier, tout le reste depuis ce jour, on le connaît.

Le chien jappa aux propos de son maître, voulant lui aussi confirmer ces faits auxquels il était étroitement lié.

William rangea le carnet et le crayon, et il demeura assis, le regard balayant la nature sauvage qui s'étendait à ses pieds. Il était content d'avoir mis des mots sur ces souvenirs heureux et sur ses émotions avant que sa mémoire n'en occulte les détails. C'était important, comme un héritage qu'il s'offrait à lui-même ; l'esprit de son père couché sur le papier reprenait ainsi un peu vie. Lorsqu'il serait enfin chez lui, il se rappellerait tout de leurs jours d'avant et inscrirait chacun de ses souvenirs sur les pages d'un cahier. Plus tard, il y ajouterait ce qui constituerait l'ensemble de sa vie.

Willliam retourna à sa couche et assembla ses affaires. Il abandonna quelques articles inutiles : une paire de bas complètement mouillée, une boîte de biscuits vide et une grosse serviette tout aussi détrempée que ses chaussettes. Ainsi, il allégea un peu son sac. Il laissa aussi derrière lui son rêve aux accents de réalité.

CHAPITRE 7

Michael

L'hélicoptère ne fut disponible que le lendemain. Bernard et Sam, accompagnés de la police provinciale, se rendirent sur le site repéré l'avant-veille. À l'aide d'une échelle de corde, ils descendirent près de l'avion accidenté. C'était bien celui de Michael.

Bernard approcha le premier, suivi de Sam. Le moment était horrible. Ils sentaient ce qu'ils allaient découvrir.

Michael était là, tel que William l'avait laissé : couvert de tôle et de sapinage pour le protéger des charognards. Les deux hommes s'effondrèrent de chagrin.

— Sam, tu comprends quelque chose à cet accident ?

— Rien, Bernard ! C'est insensé ! Michael était un as aux commandes de son avion. Pourquoi est-ce qu'il a plongé comme ça ?

— Je vois juste une raison : une défectuosité mécanique.

— Il était pourtant tellement minutieux avec l'entretien. J'ai rarement vu un pilote vérifier son appareil avec autant de régularité.

— Tu as raison, il changeait même les pièces qui semblaient en bon état, juste parce qu'elles étaient là depuis longtemps. Tout était noté... Ah ! Sam, je ne peux pas croire ce que je vois. Dis-moi qu'on va se réveiller...

Sans pouvoir retenir leurs larmes, les deux hommes hissèrent Michael à bord de l'hélicoptère, protégeant le corps de celui qui avait été un gendre aimé et un ami précieux. Ils inspectèrent les alentours sans trouver trace de William ni de Boucanier. La neige tombée en abondance et la poudrerie avaient effacé toute empreinte. Bernard et Sam savaient que William n'avait pas péri, puisqu'avant son départ, il avait recouvert le corps de son père. De plus, dans l'avion, il ne restait ni vivres ni sacs de couchage.

Ils gardaient espoir de retrouver le garçon et son chien, pourvu que la tempête et la marche périlleuse que devait effectuer le garçon dans cette forêt inconnue ne lui soient pas fatales. Les écueils étaient nombreux et sans doute des plus inattendus. Camper seul en forêt, faire face au froid et aux défis imprévisibles, tout cela était nouveau pour l'adolescent. La nature pouvait être aussi belle et généreuse qu'impitoyable. Les recherches reprendraient donc aussitôt. Pour Maria, il fallait le ramener à tout prix et vivant. Le cauchemar commencé une semaine plus tôt venait de connaître le pire des aboutissements. Il ne resterait plus à Maria que son fils.

* * *

Accompagné de son inséparable compagnon à quatre pattes, William s'approcha de nouveau au bord de la corniche. Bien que l'alpinisme ne soit pas son sport de prédilection, préférant la marche en forêt, il n'avait aucun choix. Le chemin escarpé qui se dessinait devant lui était le plus court ; en ligne droite et sans détour. Il avait examiné le terrain tout autour et n'avait repéré aucune autre issue intéressante. Toute cette marche pesait sur son moral. La descente à venir était abrupte et inquiétante.

Assis contre la jambe de son maître, Boucanier semblait réfléchir. William se coucha sur le ventre au bord de la falaise et regarda plus bas afin de bien préparer sa descente. Il observa de nombreuses prises : des arbrisseaux et de grosses roches jonchaient le flanc, et il pourrait y poser les pieds en toute sécurité. Toutefois, la pente était raide et difficilement praticable pour Boucanier. Nerveusement, William regarda son chien. Il n'y avait pas d'autre solution : ils devaient se séparer et se rejoindre plus loin.

— Boucanier, tu dois partir de ton côté. Trouve un sentier où tu pourras descendre. Seul, tu pourras courir plus vite. Regarde en bas de cette montagne, c'est là que tu dois me rejoindre. Allez, mon vieux, on y va.

Boucanier jappa pour montrer son accord, ou peut-être son désaccord, et regarda William accomplir ses premiers mouvements de descente. L'adolescent retenait son souffle. Les mains nues et moites, il s'agrippa aux premières branches et glissa la jambe droite jusqu'à un interstice rocheux. Il cala son pied solidement avant de descendre l'autre pied un peu plus bas. Il leva les yeux et croisa le regard inquiet de Boucanier.

« C'est bien vrai que je ne peux pas te suivre », semblait lui dire le pauvre animal, gémissant pour appuyer ses propos muets. Le chien arpenta la falaise de long en large sous le regard attentif de son jeune maître. Puis, il disparut et s'éloigna en jappant. William attendit, priant silencieusement pour que Boucanier soit bel et bien parti. Les secondes s'éternisèrent et se transformèrent en longues minutes d'inquiétude. Tout à coup, devant lui, comme sorti de nulle part, le chien réapparut, jappant avec force. De toute évidence, il voulait entraîner William à sa suite. Mais ce dernier ne fit aucun mouvement indiquant à Boucanier qu'il le suivrait. Le manège s'éternisa.

Constatant à regret que William ne revenait pas vers lui, Boucanier se retourna d'un puissant coup de patte et, après avoir lancé à son maître un dernier coup d'œil qui se voulait persuasif, il disparut. Un brouillard de neige soulevé par le départ de l'animal atterrit sur le visage du garçon suspendu entre ciel et terre. Cette fois, il était bel et bien seul pour poursuivre cette difficile descente. Il ne pourrait compter que sur lui-même pour affronter les difficultés physiques et les souvenirs trop récents de la disparition de son père.

— Boucanier ! Boucanier ! Va vite, tu vas y arriver ! cria William avec force. N'oublie pas de me rejoindre en bas !

William attendit encore quelques secondes afin de s'assurer du véritable départ de son fidèle ami, puis il reprit sa descente. Son pied droit trouva une assise solide, un bout de roc profond sur lequel il put poser sa botte. De nouveau, il laissa glisser son pied gauche le long de la paroi, cherchant à tâtons le meilleur endroit pour s'appuyer. Il continua son périple. Comme un automate, il déplaça ses membres les uns après les autres, ne portant aucune attention à la sueur qui inondait son front. Il se surprit à adresser une prière à cet ange gardien dont sa mère lui parlait depuis sa tendre enfance.

— Il serait temps que tu te manifestes ! lui dit-il à voix haute.

Il songea au fait qu'aucune force ne les avait protégés au moment de l'accident d'avion qui les avait projetés si violemment contre les grands arbres centenaires.

— Main gauche, pied droit, répétait-il inlassablement pour briser le trop grand silence qui l'oppressait.

William essayait de se concentrer sur cet exercice difficile. Il n'avait aucune envie d'aller se briser les os sur la tête des grands sapins qui s'élançaient à sa rencontre. Par moment, il remettait ses gants pour se protéger des roches gelées, puis les enlevait de nouveau de peur que ses doigts ne glissent. La peau de ses mains fut vite meurtrie, mais c'était le moindre de ses soucis.

Un bourdonnement attira son attention et arrêta son mouvement. Un bruit sourd battait l'air quelque part et venait frapper ses tympans; il se rapprochait. William tenta d'en déterminer la provenance. Le bruit augmentait et devenait assourdissant. L'espace entier n'était plus habité que par ce vacarme rebondissant en écho dans les montagnes.

Au-dessus de lui, un ventre métallique énorme lui cachait le ciel. Il venait d'apparaître, surplombant la corniche où il avait passé la nuit. Un souffle puissant provenant des longues pales de l'hélicoptère menaçait de lui faire lâcher prise. Le véhicule de l'air passa lentement et s'immobilisa, suspendu tout comme lui à mi-chemin entre la terre et les nuages.

William ne pouvait rien faire pour attirer l'attention du pilote sans doute présent dans l'espoir de le retrouver. Collé contre la paroi montagneuse comme une sangsue sur la peau d'un nageur, ne faisant qu'un avec elle, il était invisible à la vue des sauveteurs. Le vent menaçait de lui faire perdre prise et l'obligeait à s'agripper fermement et à se concentrer sur sa position périlleuse. Il cria, mais le son de sa voix se perdit dans le tumulte. Il vit l'hélicoptère avancer lentement et se diriger derrière lui, vers la grande forêt.

— Fais demi-tour ! cria-t-il avec la force du désespoir. Reviens ici ! Salaud, tu ne peux pas partir comme ça. Je suis là ! hurla William, rempli d'une angoisse quasi insurmontable.

Des larmes contenant toute la peine du monde, mais aussi la rage et le désespoir, inondaient son visage ; il y avait dans ces pleurs son deuil, sa solitude, la douleur physique qui s'infiltrait jusqu'au bout de ses doigts engourdis, sa blessure au bras causée par l'accident et qui le faisait encore horriblement souffrir et qui se répandait dans chacune de ses cellules. Il avait dû bien malgré lui se servir de ce bras et le tendre à chaque prise pour se soutenir. Additionnée à tous ses malheurs, cette vision de secours qui s'évanouissait lui donna le goût de desserrer son étreinte de la paroi rocheuse. Il cria encore et encore, emplissant la forêt des pires insultes.

Puis, l'image de sa mère vint frapper son esprit. Ses yeux remplis de tristesse chassèrent cet instant de faiblesse et de découragement. Il tourna la tête et vit l'hélicoptère qui s'éloignait. À vol d'oiseau, il serait au village en un rien de temps. Lui, il devrait marcher encore des heures et des heures, voir défiler le jour et la nuit avant de s'approcher des limites de son monde, de son lac, de sa demeure, de sa famille. Il reprit sa descente pendant que, dans l'habitacle volant, les secouristes continuaient de scruter la forêt trop dense.

— C'est comme chercher une aiguille dans une botte de foin, dit le grand-père de William, s'adressant au pilote.

— Faut pas désespérer, monsieur. Ce jeune, il est fort et intelligent… il va réapparaître au moment où on s'y attendra le moins. Vous verrez.

— J'espère que tu as raison. Notre vie est devenue un enfer. Notre fille, qui s'est retrouvée seule dans sa grande maison, fait peine à voir.

— J'imagine facilement ce que ce doit être de perdre ainsi son mari et d'être sans nouvelle de son fils unique. Moi-même, je ne sais pas si je pourrais tenir le coup si une chose comme celle-là m'arrivait.

Le silence retomba sur la nature sauvage. Le garçon solitaire refaisait les uns après les autres les gestes de l'alpiniste. Tout à coup, son pied prit position sur toute sa longueur. William baissa le regard devant lui et regarda entre ses jambes. Surpris, il porta les yeux vers la droite, puis vers la gauche et derrière lui pour constater avec bonheur qu'il venait de poser pied sur une large plate-forme. L'endroit devait avoir un peu moins de deux mètres de largeur sur une longueur à peu près équivalente.

Bien qu'elle rétrécisse aux extrémités, elle était suffisamment spacieuse pour lui permettre de s'arrêter. Du côté droit, le roc s'était effondré et formait une caverne assez profonde pour s'abriter du vent. Il déchargea son sac à dos.

— J'ai besoin d'un peu de repos, dit-il, le regard tourné vers la paroi de roc qu'il venait de quitter et qui s'élevait, impressionnante, devant lui.

Sur le sol, il étendit le plastique qui lui avait servi la nuit précédente. Il sortit sa couverture, s'y enroula et s'adossa contre le mur protecteur de la montagne. Après avoir bu quelques gorgées d'eau et avalé la moitié des noix et le fromage qui lui restaient, il ferma les yeux et laissa ses muscles se détendre. Il avait si mal ! Ses articulations sans cesse sollicitées lui envoyaient un signal d'alarme ; il prendrait une heure de repos, c'était essentiel.

Il eut une pensée pour Boucanier, qui, l'espérait-il, allait le rejoindre au pied de la falaise. Un sommeil lourd s'abattit sur lui, chargé de visions étranges. Il y vit l'avion de son père, déchiré, reposant dans la nature silencieuse, et les lumières puissantes, dignes des meilleurs films de science-fiction, qui avaient provoqué leur accident et qui semblaient le suivre depuis l'écrasement.

William n'arrêtait pas de se questionner sur ce qu'il avait vu. Partout dans le monde, des milliers de gens disaient avoir été témoins d'apparitions semblables à celles qu'il avait vues. Ces gens les avaient même filmées ou photographiées. Mais qu'y avait-il de vrai dans tout cela ? Était-ce la réalité ou l'imagination fertile de personnes désireuses de se faire remarquer ? Une chose était certaine : William avait décidé de ne jamais parler de ce qu'il avait vu avec qui que ce soit. De toute façon, son père n'était plus là pour confirmer des faits qui relevaient peut-être de son imagination. Même sa mère n'en saurait rien. Il inventerait une raison à l'écrasement de leur avion; il lui restait encore bien des heures de marche pour en trouver une. Et au fur et à mesure que passait le temps, il se convainquait que le stress lui avait fait imaginer ces lumières.

William s'étira, massa son visage et frictionna vigoureusement son cuir chevelu. Il ouvrit grand les yeux et regarda autour de lui, incrédule; la brunante l'entourait, s'élevant de la vallée jusqu'à la corniche. Le soir avait fondu sur lui. Il devrait demeurer sur son perchoir pour le reste de la nuit qui envahissait son monde de pied ferme.

* * *

Plus loin, sur un sentier très étroit, Boucanier avait parcouru un bout de chemin. Il avait tout essayé pour entraîner William à sa suite, mais ses jappements répétés et ses allées et venues n'avaient pas réussi à faire rebrousser chemin à son maître, qui avait déjà entrepris sa périlleuse descente. Le langage des chiens n'était malheureusement pas toujours clair pour les humains. Alors, l'animal était parti de son côté. Avec son flair développé, il retrouverait le chemin de leur maison et ramènerait Maria jusqu'à son fils.

Le sentier était semé d'embûches. Sous la fine couche de neige, des plaques de givre entraînaient le chien dans de longues glissades. Des roches aux arêtes tranchantes et des amas de petites branches piquantes écorchaient les coussinets tendres de ses pattes gelées. La soif le tenaillait et sa langue pendait hors de sa gueule. De temps à autre, il s'arrêtait, avalait quelques lampées de neige et repartait prestement, désireux d'arriver rapidement à destination. Le museau frôlant le sol à la recherche d'odeurs familières, il cherchait le meilleur passage. Parfois, il se retrouvait nez à nez avec une falaise ou le poitrail au-dessus du vide et il devait rebrousser chemin. Son instinct lui dictait de continuer, de ne pas s'arrêter. On aurait dit qu'il avait un GPS intégré dans le corps. L'image de William le devançait et le tirait vers l'avant. Il pressentait le danger qui menaçait son maître. Il savait qu'il devait l'aider. Sa course inlassable contre le temps s'inscrivait dans chacun de ses muscles tendus sous l'effort. Lui aussi avait vu l'hélicoptère survoler la forêt et l'avait regardé passer avant de s'élancer de nouveau.

* * *

De son côté, William se sentait abandonné. Il n'avait jamais ressenti une telle solitude. Tout ce silence intérieur, mais aussi cette nature vibrante qui l'entourait, l'obligeait à réfléchir sur le sens de la vie. Il ne serait plus jamais le même…

— Boucanier, je voudrais tellement que tu sois ici, avec moi. Il fait si froid. Au moins, ta présence me donnerait la sensation d'une forme de sécurité. J'ai l'impression qu'il n'y a plus que moi sur cette planète… moi et cette chose brillante que j'espère ne jamais revoir.

William songea qu'il pourrait se découvrir et laisser le froid l'engourdir et l'emmener rejoindre son père au pays de l'au-delà. Il avait déjà vu des reportages raconter le périple d'alpinistes que la mort avait surpris doucement, pendant le sommeil provoqué par l'hypothermie. Ils n'avaient pas souffert: ils s'étaient tout simplement endormis à tout jamais. La fatigue et la solitude apportaient à l'adolescent ce genre de pensées qui ne correspondaient en rien à son caractère de sportif et de bon vivant.

Il s'empressa de chasser ces idées couardes, s'emmitoufla de son mieux et se serra contre la paroi, résolu à ne penser à rien jusqu'au lever du jour. Il bascula de nouveau au pays du rêve, mais cette fois, ses visions le transportèrent sur le quai construit par son père. Il n'y avait plus de neige et il regardait les oiseaux qui volaient au-dessus du lac. Des pas faisaient grincer le bois séché. Il se retourna et vit son père qui approchait, souriant. Il était si grand qu'il cachait le soleil derrière lui.

Le père et le fils s'assirent à l'extrémité du quai, leurs pieds effleurant la surface fraîche de l'eau. C'était presque un rituel pour eux chaque fois que revenait l'été. Au début de la saison, l'eau glacée leur gelait la peau, et ils se regardaient en souriant. Puis, d'un matin à l'autre, l'eau se réchauffait, devenait suffisamment confortable pour s'y tremper en entier. Dans ce rêve, la neige avait disparu et laissé place au beau temps. Michael posa un bras protecteur sur les épaules de son fils. Ils échangèrent un regard complice. Ils ne parlaient pas, mais William sentit une dose de détermination et de courage l'envahir. De longues minutes s'écoulèrent ainsi. Ils ne faisaient qu'observer la nature et profiter de la présence l'un de l'autre. Au bout d'un moment, Michael se leva, ébouriffa affectueusement l'épaisse tignasse de son fils et s'en retourna tranquillement d'où il était venu.

Le rêve s'estompa lentement et laissa à William, encore endormi, un sentiment de bien-être. Sa respiration se calma imperceptiblement et la tension dans ses muscles relâcha son emprise.

* * *

Tout comme William, Boucanier, déjà rendu beaucoup plus loin que son maître, s'était arrêté. Sur la terre sèche au pied d'un arbre que la neige n'avait pas atteinte, le chien s'était installé.

À bonne distance l'un de l'autre, les deux compagnons dormaient. Boucanier reprenait des forces, car au matin, il devrait poursuivre la quête que lui imposait son instinct animal.

* * *

Le soleil se leva et cohabita pendant un moment avec la lune dans le ciel pâle de l'aube automnale. Le jour allait être beau. Il n'y avait pas un seul nuage dans l'espace bleuté. Le piaillement des oiseaux tira William de sa torpeur nocturne. L'espace d'un bref instant, il se demanda où il était. Puis, tout lui revint. Il remonta sa couverture sur son visage rougi par le froid de la nuit et laissa son haleine réchauffer sa peau.

Cherchant à se donner le courage et l'énergie de reprendre la route, il songea à sa demeure, à son chez-lui. Il imagina sa rencontre avec sa mère ; sa chaleur et son amour lui manquaient tant. Comme lorsqu'il voulait performer dans le sport, il anticipait les gestes et le plaisir pour en provoquer la réalisation.

Un trait de soleil chaud s'infiltra à travers les branches. Du regard, il balaya la nature qui l'entourait. Cette fois, ce n'était plus la peur qui le paralysait, mais bien l'émerveillement. La nature brillait de tous ses feux. Les hauts sapins enneigés éclataient de beauté sous les rayons intenses du soleil qui se levait. L'ouate blanche était encore accrochée partout sur le bout des branches des conifères magnifiques et sur les aspérités des rochers. Les cristaux gelés formaient des arcs-en-ciel lorsqu'ils étaient touchés par la lumière. Le paysage avait des allures de conte de fées. William se prit à penser que quelques elfes pourraient surgir devant lui, comme c'était arrivé à Peter Pan, et qu'ils l'entraîneraient à leur suite. Il avait le souffle coupé par le spectacle qui s'offrait à lui. Le calme suivait la tempête…

Il repoussa sa couverture et se leva. Les oiseaux tournoyaient près de lui et effectuaient une danse autour de sa tête. Ils allaient et venaient, l'invitant à partir. Tout ce remue-ménage le fouetta. Il rassembla ses effets. Un instant encore, il posa les yeux sur la magnificence du décor qui s'étendait à perte de vue. Il se sentait en union avec tout ce qui l'entourait. Un instant, il crut devenir un arbre magnifique dont les racines s'agrippaient solidement à la terre. Il ressentit la vie qui parcourait l'immense forêt.

Il revint à la réalité, baissa les yeux et examina la montagne pour y trouver le meilleur passage. Dans la pénombre de la veille, il n'avait pu apercevoir, derrière un jeune pin qui avait pris racine dans un interstice de roc couvert de terre et de mousse, un chemin moins abrupt. Il devait franchir une dernière muraille escarpée et il pourrait ensuite poursuivre sa descente dans une relative sécurité.

Empli de l'énergie nouvelle procurée par les visions enchanteresses qui avaient ébloui ses yeux, il reprit sa route. Tout semblait différent, une force nouvelle s'infiltrait en lui, l'entourait et le protégeait. Les arbres, les rochers, les oiseaux, le soleil, tout le fortifiait et assurait son pas. Ce matin-là, son bras était beaucoup moins douloureux. Enfin, il pourrait l'utiliser avec un peu plus de confiance.

Il s'approcha du rebord de la plate-forme et, le bout du pied au-dessus du vide, il risqua un œil. Son cœur battait très fort. Bien que relativement courte, la paroi à affronter lui imposait de nombreux défis. Un peu plus bas, sur la droite, une branche de petit diamètre faisait irruption, quelques roches s'offraient en saillie par-ci par-là, une autre branche un peu plus volumineuse que la première était visible, et puis plus rien.

— Papa, tu dois m'aider. Comment puis-je descendre ? Toi et moi, on a marché en forêt des dizaines de fois, mais tu ne m'as jamais appris l'escalade…

Au bout d'un moment de réflexion, William défit les attaches qui retenaient son sac collé à son dos. Il regarda plus bas, là où il désirait se rendre. D'un large mouvement du bras, il balança le sac en prenant garde de ne pas être entraîné par son poids et le lança aussi loin qu'il le put. Il entendit le bruit sourd du sac lorsqu'il rencontra le sol. Cette pesanteur en moins, ses mouvements seraient mieux assurés. Son attirail de survie ne risquerait plus de le faire basculer. Du haut de son perchoir, William tendit une dernière fois l'oreille et fit un tour d'horizon: il espérait entendre ou voir Boucanier.

— Où es-tu, mon vieux?

Du plus fort qu'il le put, il lança son nom dans l'espace.

— Bou-ca-niéééééééééé!
Le son se répercuta en écho et s'éteignit.

Un genou à terre, la respiration courte et saccadée, l'adolescent se laissa glisser tout doucement sur le bord de roc. La main gauche agrippée à une corde qu'il avait préalablement nouée autour d'une grosse roche, il glissa, cherchant du bout du pied l'appui qu'il avait aperçu d'en haut.

Comme un aveugle, il tâtait le terrain pour prendre appui. Sa botte glissait, mais ne rencontrait pas la résistance dont il avait besoin. Il se laissa glisser de quelques centimètres de plus. Toujours rien... « Ce n'est pas possible, pensa-t-il, j'ai vu cette roche. » Il baissa les yeux, en vain.

— Je ne suis pas fou, murmura-t-il. J'ai vu cette roche, oui ou merde ?

Il déplaça ses mains sur la corde. Il était presque à son extrémité et il n'avait toujours trouvé aucune prise où poser le pied. Dans un léger balancement, il se déplaça vers la droite. Enfin, il fit mouche. Il trouva une branche pour poser son pied droit et une roche plate pour son pied gauche. Il respirait mieux. Malgré le froid automnal, il transpirait à grosses gouttes.

Heureux, William constata qu'il bénéficiait de plus de prises de descente qu'il ne l'avait cru. De nombreuses branches émergeaient de la paroi montagneuse, et des saillies en quantité surprenante lui permettraient de poser les pieds et de se retrouver plus bas sur une pente régulière pour finalement atteindre la forêt.

Les oiseaux l'accompagnaient, faisant la navette entre les branches des arbres et la falaise. La descente, bien que plus facile qu'il ne l'avait imaginée, n'était pas sans risque, et c'est totalement épuisé qu'il mit finalement pied sur le sol. Les bras ballants le long du corps, il regarda le chemin qu'il venait de parcourir. Brisé de fatigue, il s'assit et ferma les yeux. Il prit de profondes inspirations et se laissa envahir par la satisfaction apportée par cette réussite. Il s'était dépassé. Enfin, il respirait plus à l'aise. Il était à peu près certain qu'il n'aurait pas d'autres défis de ce genre à affronter.

Il lui semblait que Michael était là, tout près, passant autour de ses épaules un bras protecteur, comme il avait si souvent l'habitude de le faire. William crut entendre son père lui renouveler sa fierté et sa confiance.

Il était assis, immobile, et les petits habitants de la forêt l'observaient. Le soleil était plus haut dans le ciel et faisait dégouliner la neige installée sur les branches. William pensa à tous ces rêves qui le visitaient depuis l'accident et qui lui ramenaient son père. Tout était si réel. Prenait-il à présent ce moyen pour rester auprès de lui malgré la mort qui l'avait emporté ? Une chose était certaine, ces visions lui plaisaient ; il se sentait moins seul. Y avait-il une véritable et bien vivante connexion entre les vivants de la terre et ceux qui avaient franchi cette frontière dont on ne revient pas ?

L'adolescent repéra son sac qui l'attendait, gisant au pied d'un arbre. Il se traita de fou lorsque l'idée que c'était peut-être son père qui l'avait placé là lui effleura l'esprit.

— J'exagère un peu, dit William. Mon père ne peut certainement pas en faire autant d'où il est.

Tout comme les oiseaux, il entreprit d'avancer en sifflotant. Avec l'énergie que lui conférait sa jeunesse, il marchait d'un bon pas. Le terrain plat était agréable. L'air doux sécha ses vêtements et ses pensées se concentrèrent sur son désir d'aller au plus vite rassurer sa mère sur son sort.

CHAPITRE 8

Boucanier

Boucanier courait et ne s'arrêtait pratiquement jamais. Il suivait son instinct. Tout à coup, devant lui, un vaste espace découvert, une petite maison, un lac et ces odeurs... familières. Il les reconnaissait. Il était arrivé. Dans un dernier effort, il rejoignit la maison, monta les quelques marches, s'assit sur la galerie, juste devant la porte, et se mit à japper et à gémir.

En ce beau matin, Maria retrouva Boucanier, comme sorti de nulle part. Il était méconnaissable, maigre, épuisé et seul. Il se mit à aboyer sans arrêt. Il partit à la course en direction de la montagne en tentant d'entraîner Maria à sa suite. De nombreuses reconnaissances aériennes pour retrouver William n'avaient mené à rien, mais le chien semblait savoir des choses que tous ignoraient. On s'empressa d'organiser une nouvelle excursion et de suivre l'animal. On verrait bien.

Boucanier mena les hommes sur le plateau rocheux où il s'était séparé de William. Le museau tourné vers les grands arbres, il se mit à hurler. Les secouristes trouvèrent sous l'épinette quelques effets de William, mais ils ne virent aucune autre trace du garçon. Ils rapportèrent à Maria les biens appartenant à William, mais ne purent répondre aux nombreuses questions que tous se posaient.

Tous comprenaient que William s'était rendu avec Boucanier jusqu'au plateau rocheux qui surplombait le lac. Après, c'était un mystère complet. L'adolescent s'était évaporé dans la nature. Même si les secours tentèrent de nouveaux survols à partir du plateau rocheux, la forêt était si dense qu'ils ne virent strictement rien.

CHAPITRE 9

William

Le souvenir de Michael abandonné dans son cercueil de tôle empêchait William de profiter de la magie de cette journée. Chaque pas le rapprochait de chez lui, mais son chien lui manquait terriblement. Jamais il ne s'en était séparé, et ne pas le sentir à ses côtés alors qu'il devait encore se mesurer aux imprévus de cet environnement étranger l'oppressait.

Le soleil était haut et chaud, et le terrain ne lui imposait aucune difficulté d'envergure :

tout, à cet instant, contribuait enfin à lui faciliter un peu la vie. La neige fondait, mais il en était tombé une trop grande quantité pour que le sol se dénude, sauf en certains endroits où les branches des arbres avaient offert un toit protecteur.

Derrière lui, un craquement, tout d'abord presque imperceptible, attira son attention et le fit s'arrêter. Il se retourna, l'oreille tendue, attentif aux moindres signes d'une présence inamicale. Il examina la forêt, mais ne vit rien.

— Montre-toi, petit lièvre, dit-il pour se rassurer.

Le silence l'entourait. Il reprit sa marche, mais demeura sur ses gardes. Un nouveau craquement, cette fois très distinct, lui parvint d'un bouquet d'arbrisseaux situé sur sa droite. Il s'immobilisa de nouveau. Quelque chose bougeait dans les branches touffues et gorgées de feuilles et de petits fruits que la neige précoce avait surpris. Les mains moites, William se mit à reculer lentement. Anxieux, il retenait son souffle et cherchait du regard un abri. Alors qu'il s'éloignait doucement, un museau émergea du buisson suivi d'un poitrail noir, puissant et velu. William s'immobilisa, paralysé. Surpris, l'ours qui se tenait devant lui en fit autant. L'animal entreprit de fixer William d'un air interrogatif. « Qu'est-ce que tu fais là ? pensa William. Tu devrais déjà dormir, il me semble. »

Tout comme William, l'ours demeurait figé, observateur devant l'inconnu qui se tenait debout sur son territoire. Seul son museau frétillait, tentant d'en savoir un peu plus sur l'étrange personnage qui lui faisait face. Était-il ami ou ennemi ?

William voulait faire le mort. Mais faire le mort sur deux jambes qui claquent l'une contre l'autre n'a rien d'aisé. L'ours continuait d'évaluer le visiteur sans se presser. Pendant un moment, l'animal laissa William à ses sombres pensées et sembla l'oublier, puisqu'il se mit à gratter la couche de neige de ses longues griffes recourbées et acérées à la recherche de quelque nourriture restante. William ne savait que faire. Sa position inconfortable de statue commençait à devenir insupportable. Si l'ours décidait de rester là pour s'alimenter, que pourrait-il faire ?

Un pas à la fois, William commença à faire marche arrière et vint s'appuyer contre un arbre qui offrit son soutien à son corps fatigué. L'écorce rugueuse le rassura. Appuyé contre le tronc, l'adolescent ne faisait qu'un avec l'arbre. Des branches basses pourraient lui permettre de grimper si l'ours s'aventurait dans sa direction.

De temps à autre, la bête levait la tête, abandonnant pour quelques instants sa tâche. L'ours scrutait William et semblait se dire qu'il n'était pas une menace. Il recommençait alors à mâchouiller tout ce qui lui tombait sous la patte.

La bête, qui aurait dû somnoler depuis un petit moment, oublia totalement la présence humaine à quelques mètres devant lui. Les minutes qui s'écoulaient semblaient durer une éternité pour William. Soudain, l'ours se leva sur ses pattes arrière et William constata avec effroi qu'ainsi dressé, l'animal était aussi grand que lui. Son pelage lustré brillait sous le soleil.

La bête fixa l'intrus de ses petits yeux noirs, reposa ses pattes avant sur le sol et se dirigea d'un pas lourd et sans empressement vers William. Malgré des efforts surhumains, ce dernier ne put s'empêcher de frémir. La sueur coulait entre ses omoplates. Dans sa tête, il hurlait des cris de peur. « Papa, maman, je ne veux pas mourir ainsi ! » Cette phrase semblait être son cri d'alarme depuis quelques jours. Même à seize ans, nos parents sont toujours une source de réconfort en cas d'alerte.

Pendant quelques secondes, William ferma les yeux, persuadé qu'il vivait ses derniers instants. Le corps tendu, il attendait la douleur que lui imposeraient les morsures infligées par les puissantes mâchoires de l'animal. N'en pouvant plus de demeurer dans cette obscurité, l'adolescent ouvrit les yeux et balaya du regard l'espace qui l'entourait. Il avait peine à croire ce qu'il vit: l'ours, déjà loin sur sa gauche, s'en allait, l'air bonhomme, grignotant ici et là les fruits sauvages séchés sur leurs branches. Il ne se retourna pas une seule fois et finit par disparaître au creux d'un petit vallon.

Les jambes molles de William le supportaient à peine. Il se laissa glisser le long de l'arbre et s'assit à même le sol. Un rire nerveux s'empara de lui, secouant ses épaules. Cet ours noir n'avait rien des terribles carnivores comme le grizzly; il était un mangeur de fruits. Il aurait dû savoir cela, lui qui vivait dans ce Grand Nord entouré de montagnes. La peau tendre et fraîche de William le laissait totalement indifférent. Bien sûr, s'il l'avait effrayé ou s'il avait été une femelle voulant protéger ses rejetons, l'ours aurait attaqué pour se défendre, mais il n'en était rien. William respira d'aise à l'idée de ne pas s'être retrouvé sous le mastodonte à la musculature puissante.

Boussole en main, il fit le point sur sa position et reprit la route. Volontairement, il laissa derrière lui tous les évènements accumulés au cours des derniers jours et fixa sa pensée sur son seul désir : se retrouver chez lui. En cours de route, il s'accordait quelques minutes de repos par-ci, par-là afin de s'hydrater et de manger un peu, et il continuait sans relâche. Il était à proximité du monde qui lui était familier, et ce fait renouvelait son énergie et sa détermination.

Les ombres du soir s'installèrent de nouveau. Une fois de plus, William chercha l'endroit idéal pour s'arrêter. Au bout d'un moment, il repéra exactement ce dont il avait besoin. Un groupe d'érables trapus possédant un grand nombre de branches lui offrait une panoplie de possibilités. Il pourrait aisément s'y installer à l'abri d'un ours insomniaque ou de tout autre animal curieux de sa présence insolite au centre de leur royaume.

Tant bien que mal, il s'adossa à l'interstice de deux branches maîtresses qui lui apporteraient suffisamment de stabilité. Il se glissa dans son sac de couchage et laissa la fatigue faire son œuvre, ce qui ne tarda pas. La lune monta bien haut dans le ciel, puis continua sa course pour enfin céder sa place à l'astre du jour. À sa venue, tout le petit monde de la forêt s'éveilla, William y compris. Totalement courbaturé par sa couche rigide, il déplia ses articulations en grimaçant.

Il eut une pensée pour les vieillards pour qui cet état d'ankylose était quotidien. Il allait tout faire pour ne pas se retrouver ainsi lorsque les années commenceraient à s'accumuler sur ses épaules. Laissant tomber son sac au pied de son hôte, il glissa de son perchoir. Il se frotta vigoureusement le visage avec la neige immaculée.

Ainsi éveillé, il reprit sa marche là où il l'avait abandonnée la veille.

Il gravit des monticules enneigés, descendit les pentes abruptes et les vallons, contourna des masses de roches qui se dressaient, solitaires, au milieu des arbres, abandonnées là par quelques montagnes anciennes usées par les millénaires. Par moment, il sifflotait, histoire de se tenir compagnie. Puis, tourmenté par ce qui l'attendait, il cherchait les mots qui expliqueraient l'inexplicable, ceux qui consoleraient sa mère. Les heures défilaient et il traversa une source gelée, puis un autre cours d'eau qui s'écoulait sous une fine couche de glace. Sans difficulté, il l'enjamba.

Perplexe, il s'arrêta soudain, tourna sur lui-même et effectua une rotation de trois cent soixante degrés.

— C'est impossible ! dit-il aussitôt.

Il examina les traces sur le sol et le paysage alentour, et il en vint à la seule conclusion possible : ces traces, affreuses, désespérantes, étaient les siennes. Il était de retour à son point de départ, il était au pied de l'arbre qui l'avait accueilli la veille. Il leva la tête et reconnut les branches où il avait dormi.

— Non ! Non ! hurla-t-il avec la force du désespoir. Toutes ces heures de marche inutiles. Je n'y arriverai jamais ! Je n'en peux plus, je veux que ça finisse ! Papa… pourquoi ?

Il pleura et ragea à ne plus pouvoir s'arrêter. Il n'y a pas d'âge pour le désespoir. À genoux dans la neige, prostré, la tête dans les mains, un profond découragement l'étreignait. La pression insupportable de tout ce malheur le submergeait, menaçant de l'étouffer.

Il était trop tard pour repartir. Il devrait se résoudre à quémander de nouveau l'hospitalité de cet arbre qui le surplombait avec toute sa force et sa magnificence. Il attendit que s'installe le soir, que se taisent le chant des oiseaux et la vie de la forêt. Il laissa son souffle s'apaiser, oublia les injustices qui ne cessaient de le poursuivre et laissa une fois de plus la douceur du sommeil fondre sur lui. Rien ne pouvait l'empêcher de sombrer, il était trop épuisé.

Au matin venu, il reprit la route, la même que la veille, tenant sa boussole en main, vérifiant encore et encore la direction à prendre. Il avait eu sa leçon. Les arbres étant semblables aux autres arbres, les vallons aux autres vallons, les différences étant si minimes parfois, il valait mieux qu'il ait l'œil fixé sur sa boussole.

— Cette fois, papa, lança-t-il à voix haute pour prendre à témoin tous ceux qui pouvaient l'entendre dans cette immensité sauvage, je vais suivre tes enseignements à la lettre.

William sentit que l'esprit de Michael planait, flottait au-dessus des arbres. Il ne pouvait plus être un père présent, mais il pouvait être un ange protecteur.

La journée était froide, et un vent du nord courait au ras du sol, s'enroulant autour des arbres et de William qui frissonnait. Il accéléra le pas pour échapper à cette sensation glaciale. Tout à coup, une impression de déjà vu le fit ralentir. Il observa les détails de la forêt qui l'entourait. « Il me semble avoir campé par ici avec mon père » songea-t-il.

Au détour d'une butte particulièrement abrupte qu'il décida de contourner, il fit face à un ruisseau tumultueux, presque une rivière, que l'hiver trop jeune n'avait pu figer dans ses glaces.

— Ouais ! C'est ça, j'ai réussi ! cria-t-il, joyeux, exécutant une danse folle. Un jour, un petit jour, et je serai rentré chez moi !

Il n'en revenait pas, il avait gagné son pari. Seul contre l'adversité, le malheur et la perte, il venait de traverser ces montagnes et d'atteindre son but.

Ce cours d'eau, il le connaissait parfaitement. Il avait une allure particulière avec ses grosses roches des deux côtés des berges et celles, énormes, qui formaient par endroits des ponts naturels, aisés à emprunter. Parcourant le bord de l'eau que le soleil avait dégagé de la neige laissée par la tempête précoce, William dénicha facilement un chemin pour traverser sans danger. Il prenait tout son temps. Sa connaissance de ce terrain lui donnait un sentiment de sécurité éloignant l'urgence.

Des pierres larges et plates formaient une allée presque parfaite. Le vent soufflait et soulevait la neige en poudrerie. William déposa un pied puis l'autre sur la première pierre, puis sur la seconde, couverte de mousse glissante. Il enjamba les filets d'eau qui séparaient chacun de ses points de passage. L'espace le séparant de l'autre rive diminuait rapidement.

Il s'arrêta quelques secondes pour souffler un peu et reprit l'exercice qui lui fit penser à celui des funambules. La dernière roche était loin devant lui et l'attendait. Le défi était différent, périlleux. Il n'arrivait pas à se décider à sauter. Il s'imaginait planant au-dessus de l'eau. Il aurait aimé être un écureuil, ou mieux, un oiseau, mais son corps lourd ne s'envolerait pas ainsi. « Aie ! Je ne pourrai jamais atteindre la rive », se dit-il, inquiet.

Il n'était pas question de faire marche arrière, puisque ce passage était le meilleur qu'il avait repéré. Cependant, comment pourrait-il franchir cet espace ? Il n'en avait aucune idée. Un élan lui aurait grandement servi. Mais comment prendre son élan lorsqu'on est en équilibre au faîte d'une roche mouillée et glissante à cause d'une fine couche d'algues et de givre ? William devait reculer d'environ un demi-mètre pour s'élancer. L'adolescent respira profondément, se concentra sur l'obstacle, fit un pas en arrière, tendit ses muscles et s'élança tout en murmurant :

— Courage, mon vieux… C'est parti !

Le vent retenait son souffle. Les oiseaux cessèrent de piailler. Comme au ralenti, William survola l'eau glacée. Les mains tendues vers l'avant, prêtes à s'agripper à tout ce qui se présenterait devant lui, il vint s'aplatir contre la terre mi-gelée, détrempée. Il remonta sa jambe droite et cala son pied dans la terre, cherchant à l'enfoncer profondément pour bien assurer sa position. Quelques touffes d'herbes hautes se dressaient sous son nez.

Il referma solidement ses doigts engourdis par le froid sur le gazon gelé. La prise sembla solide. Il tira doucement son corps vers le haut de la pente. La pelouse tint bon, la terre durcie retenant ses racines. William enfonça son pied gauche dans la terre et se poussa vers le haut. Au moment où il tenta de se hisser sur le rebord de la pente, la terre meuble céda sous ses pieds, et il glissa inexorablement vers l'eau glacée. Immergé jusqu'à mi-jambe, il sentit la rivière envahir ses bottes et coller son jean autour de ses mollets. Un long frisson gagna son corps tout entier. Il crut entendre son père lui souffler : « Allez, tiens bon ! » L'adolescent imaginait Michael à ses côtés, lui tendant une main de chair pour le hisser hors de l'eau. William sentait les encouragements de son père et cela provoqua en lui une montée d'adrénaline, source de survie depuis des millénaires.

Mû par une force tapie tout au fond de son corps et de son esprit, William se propulsa à l'extérieur du cours d'eau. Tremblant de froid, il ouvrit son sac à dos et sortit en hâte des vêtements secs. Son unique paire de bottes était dans un état lamentable. Il s'enveloppa dans son sac de couchage et tenta de réprimer les tremblements qui le secouaient. Alors qu'il regardait la rivière continuer sa course, indifférente au mauvais tour qu'elle venait de lui jouer, l'écœurement lui fit serrer les dents. Jusqu'à la dernière minute, la nature ne lui ferait pas de cadeau. Il bourra ses bottes avec une serviette sèche, passa une seconde paire de bas, appuya son dos contre un arbre et s'immobilisa.

— Je ne vais pas plus loin ! J'en ai assez !

Des larmes de rage qu'il ne put réprimer s'échappèrent et coulèrent librement sur scs joues. L'euphorie de se sentir tout près de chez lui laissa place au retour du désespoir. À seize ans, un gars se sent infaillible. Il veut projeter l'image de la force, du contrôle… Mais en ce moment, il avait de lui-même l'image d'un enfant pratiquement sans défense.

— Papa… Tu n'avais pas le droit de me faire ça ! Tu n'avais pas le droit de me laisser tout seul ! Je te déteste, m'entends-tu ? Je te déteste, lança-t-il en un long cri rempli de haine.

La nature, témoin de ce chagrin sans fond, ne pouvait qu'observer l'adolescent, impuissante à le consoler. Quelques écureuils, attirés par le brouhaha inhabituel, s'approchèrent, curieux. L'un d'eux, une noix de pin entre les pattes, prit position à quelques mètres de William tout en mâchouillant sa trouvaille. Observateur discret, il demeura ainsi de nombreuses minutes, puis s'en retourna comme il était venu. Le temps passa, et William s'endormit, se mêlant à la nuit. Un sommeil lourd l'accompagna jusqu'au matin.

CHAPITRE 10

Le retour

Au lever du jour, au bord de l'hypothermie, William ouvrit les yeux. Le désir de bouger ne regagnait ni son corps ni son esprit. Il était sans volonté. La rivière, que rien n'arrêtait, continuait inlassablement sa route. Même le froid et la glace ne pouvaient l'empêcher de danser joyeusement. William était si immobile que les oiseaux et les écureuils s'approchaient de lui sans crainte. Il se fondait à l'ensemble de la forêt. Seul le souffle qui s'échappait de sa bouche entrouverte démontrait qu'il était un être vivant.

Sur un tronc, mort depuis longtemps, deux écureuils roux se pourchassaient en une course sans fin, le plus petit dépassant le plus gros et vice versa, accomplissant des sprints et des sauts de haute voltige. Le manège capta l'attention de William. Les petites bêtes s'amusaient comme des enfants espiègles. Le garçon sourit et rit malgré lui, l'espace d'un petit moment, de ce cadeau de la nature. Surpris par ce son inattendu, les écureuils stupéfiés se figèrent côte à côte et observèrent pendant quelques secondes l'être étrange qui leur faisait face ; la queue retroussée, ils étaient au garde à vous. Puis, l'un d'eux repartit, donnant le signal de la reprise des jeux.

William tenta d'étirer ses jambes totalement engourdies par le froid et l'inaction. Il tremblait, sa tête tournait, et son estomac se convulsait tant il était vide. Songer à se lever lui demandait un effort immense. Où puiserait-il cette force qui lui manquait à présent ? Même s'il se savait si près de son but, sa volonté n'était pas au rendez-vous. Il avait si froid. Il était si fatigué. Sa tête lui disait de se frictionner pour activer la circulation dans son corps, mais ses muscles refusaient de lui obéir. Seuls ses yeux avaient une vie. Il observait de nouveau sans y prendre part cette activité que le lever du jour redonnait à la forêt. Des nuages défilaient, cachant le soleil, puis à leur tour, les rayons de l'astre du jour reprenaient leur place dans le ciel, dans une sarabande joyeuse et sans fin.

William respira profondément, se concentrant sur chaque inspiration et expiration. Lentement, la chaleur sembla regagner ses muscles et il cessa de trembler. Il tendit la main pour se saisir de son sac et y trouva de quoi s'alimenter un peu. Il était vraiment temps de rentrer chez lui. La barre tendre, le biscuit et les noix passèrent difficilement. L'adolescent rêvait d'un repas chaud ; il en ressentait un impérieux besoin.

— À présent, je dois repartir, dit-il. Une journée encore et ce cauchemar sera derrière moi.

Il chaussa ses bottes toujours humides, ramassa la totalité de ses effets et se fit la promesse que la prochaine nuit, il dormirait dans son lit. À présent, il ne s'arrêterait que devant la porte de sa maison.

Il marcha sans relâche, se frayant un passage dans la forêt dense, évitant le plus possible de bifurquer dans un sens ou dans l'autre. Il allait suant et haletant, s'enfonçant dans la neige, celle que le soleil n'avait pas réussi à faire fondre depuis la tempête. Les pieds engourdis, les joues gelées par le vent du nord, William marchait les dents serrées, absorbé par une seule et unique image : sa maison silencieuse au bord du lac.

Il négligeait volontairement la douleur de ses muscles et le froid qui brûlait ses poumons. Heureusement, ce qu'il croyait être une fracture de l'épaule au moment de l'accident semblait n'avoir été qu'une entorse. À présent, un simple inconfort se faisait sentir. William avançait comme un somnambule, ne vérifiant qu'une seule chose : sa boussole. La pénombre s'installa, mais William ne ralentit pas. Lorsque la noirceur l'entoura, il sortit sa lampe de poche et poursuivit sa route. Les arbres avaient l'apparence de fantômes surgissant dans la nuit pour l'effrayer.

Ses jambes fatiguées soulevaient avec peine ses pieds trop lourds. Une plaque de glace camouflée par la neige lui fit perdre pied et il s'étala de tout son long. Sa tête heurta le sol avec force et il perdit presque connaissance. Péniblement, William se remit sur pied et, chancelant, il se remit en marche avec une seule idée en tête : avancer, encore et encore.

Une quinte de toux l'obligea à s'arrêter. La tête appuyée contre le tronc rêche d'un arbre, il reprit son souffle. Au creux de sa main, il ramassa une pleine poignée de neige blanche qu'il avala pour s'hydrater. Il savait qu'il ne pouvait s'immobiliser plus longtemps, sous peine de ne plus repartir. Il n'était pas question qu'il manque à la promesse qu'il s'était faite le matin même. Il eut une pensée fugitive pour son père qu'il voyait étendu dans son cercueil glacé. Il ramena ses idées vers les vivants qui le croyaient certainement perdu à tout jamais.

Des heures longues et pénibles s'imprimaient dans chacune de ses cellules. Une douleur aigüe fit fléchir ses jambes une fois de plus. Il se redressa et posa un pied devant l'autre avec ténacité et courage. C'était un véritable marathon, sans supporteurs pour l'encourager à ne pas lâcher.

S'agrippant aux troncs d'arbres, William gravit une petite colline densément boisée, s'éraflant le visage au passage. Il cassa les branches pour se frayer un chemin, s'arrêta au sommet et les vit enfin. Reposant sous le ciel étoilé, baignées par la lumière brillante de la pleine lune émergeaient l'immense clairière et sa maison endormie devant son lac, son port d'attache. Là se trouvaient les lignes écrites de son passé et celles de ce futur qu'il aurait à composer. Une veilleuse, phare des nuits de son enfance, brillait à la fenêtre de sa chambre. À l'avant de la maison, il pouvait deviner le reflet laissé par les lumières du balcon qui s'étirait sur la neige immaculée.

Un murmure flottait autour de lui, musique de ses derniers moments avec son père alors qu'ils survolaient le monde sur les ailes du vent. Dans le ciel, les étoiles scintillaient, mais elles ne portaient pas encore ce défi nouveau envoyé par le destin, défi qu'il devrait inventer pour retrouver la joie. La forêt avait porté son cœur et accompagné sa peine. Par sa force, sa grandeur et sa beauté, elle avait soutenu le départ de son père. La nature venait de lui offrir cette détermination qui lui serait indispensable pour accepter les nombreux écueils de sa jeune existence.

William s'assit à l'orée de sa forêt. Il ne savait rien de ce qui était advenu de son Boucannier. Il espérait retrouver sain et sauf son merveilleux ami, car sans la présence de son chien, il n'aurait peut-être pas eu le courage de revenir à la maison.

Son périple prenait fin, plus rien ne pressait. Laissant s'apaiser la tension qui l'avait mené jusque-là, il attendit. Les yeux fixés sur le lac, comme dans un état second où son corps ne percevait rien d'autre que la tranquillité de l'instant, il laissa décroître la nuit, fit le plein de cette beauté du soleil levant qui rosissait l'horizon, enflammant les nuages épars qui s'étiraient sur son pourtour.

* * *

Boucanier se redressa. L'oreille tendue, il quitta la chambre de Maria, où il avait pris l'habitude de dormir depuis son retour. Il descendit l'escalier qui reliait les chambres du deuxième étage au rez-de-chaussée qui accueillait le salon et la cuisine, et fit le tour des fenêtres en gémissant. Il s'immobilisa devant la grande baie vitrée qui faisait face à la forêt. Son instinct reconnaissait quelque chose.

Il se mit à grogner en sourdine et fit l'aller-retour entre la fenêtre et la porte. Il remonta à la chambre de Maria et, de son museau humide, entreprit de la pousser. Maria refusait obstinément de se laisser déranger et de quitter l'état d'inconscience dans lequel elle était plongée et qui apportait un peu de baume sur ses peines.

Boucanier se plaça près de la porte de la chambre et se mit à japper avec de plus en plus de force et d'insistance. Exaspérée, la pauvre femme finit par ouvrir les yeux.

— Qu'est-ce qui te prend, Boucanier ? Tu veux bien me laisser tranquille ? Il n'est pas question que je me lève maintenant. Tu vois bien, il fait encore nuit ! Allez, va-t-en !

Mais le chien redoubla l'intensité de son activité ; il descendit l'escalier et le remonta sans s'interrompre. Il jappa et grogna aux oreilles de Maria. Impatiente, elle mit les pieds au bas du lit, attrapa sa robe de chambre et s'y emmitoufla. Il faisait aussi froid dans la maison que dans son cœur, qu'elle n'arrivait plus à réchauffer.

D'un pas traînant, elle descendit l'escalier et se rendit à la cuisine. Elle démarra la cafetière qu'elle avait préparée la veille. Boucanier colla son nez à la fenêtre et se remit à japper de plus belle.

— Boucanier, reprit Maria, sévère, arrête un peu ce boucan. Qu'est-ce qui te prend, tu deviens fou, ou quoi ?

Mais rien n'y fit. Le chien continuait, ne s'arrêtant que pour reprendre son souffle. Intriguée par ce comportement inhabituel, Maria s'approcha de l'animal et, tout en caressant sa grosse tête, scruta la campagne, tentant de percevoir dans la lueur de l'aube la raison d'autant d'emportement. Elle crut entrevoir un mouvement à la lisière des arbres, mais c'était si loin.

— Calme-toi, Boucanier ! Si c'est un ours qui a oublié d'aller dormir, il ne nous attaquera pas dans la maison.

Maria se servit un café bien fort et s'assit à la table, dos à la fenêtre. Elle ne voulait pas voir tout cet espace, vide comme sa vie.

Une silhouette se détacha de la noirceur des arbres et gagna l'espace libre. Boucanier ne se contenait plus. Il grattait la porte de l'extérieur avec tant de frénésie que Maria ne put faire autrement que de se lever.

— Boucanier, ça suffit ! Va dehors, lui dit-elle en ouvrant la porte.

Figée, elle s'arrêta. Les yeux grand ouverts, une main sur la bouche pour retenir le cri qui allait s'échapper de sa poitrine, elle n'arrivait pas à comprendre ce qu'elle voyait. Pendant un moment, elle se crut victime d'hallucinations, mais ce qu'elle voyait ne s'enfuyait pas, et Boucanier courait à sa rencontre.

Prestement, elle enfila les grosses bottes de Michael qui traînaient toujours à côté de la porte et elle s'élança à la suite du chien, s'empêtrant dans sa longue robe de chambre qui menaçait de la faire tomber. Elle riait et pleurait tout à la fois, incrédule.

Dans la lumière blafarde du matin, trois êtres allaient l'un vers l'autre, amenuisant ce qui restait d'espace entre eux. William laissa tomber le lourd sac de ses épaules. En même temps, il laissa glisser de son cœur le fardeau de cette peine qu'il pourrait désormais partager avec les siens. Maria s'agrippa à son fils et Boucanier se hissa et posa ses pattes sur les épaules de son jeune maître. Tous trois roulèrent dans la neige et laissèrent exploser leur joie. Ils ne ressentaient ni le froid ni la peine; simplement la joie immense d'être réunis. Maria croyait avoir perdu son fils tout comme elle avait perdu son mari, mais la vie lui avait réservé un cadeau d'une valeur inestimable.

Avec sa mère et son brave Boucanier, William entra chez lui et referma sur eux cette triste page de leur vie. Ensemble, ils pourraient se consoler et recommencer… Recommencer à jouir du soleil et de son jour, du ciel décoré de milliers d'étoiles porteuses de rêves et de la douceur de ses nuits, du vent et de la brise, de toutes les beautés de la vie. Rien n'est jamais définitif, il y a toujours place pour l'espoir, pour l'amitié, pour la joie. Le chagrin n'est pas éternel.

* * *

Invisible, Michael était assis entre Maria et William. Il souriait, satisfait. À présent, il pouvait repartir pour la dimension où se déroulait sa nouvelle vie. Maria et William prendraient soin l'un de l'autre. Boucanier veillerait sur leur bonheur nouveau, un bonheur à construire de toutes pièces, mais plein de promesses.

* * *

Un fin nuage de neige brillant s'éleva derrière la fenêtre et tourbillonna joyeusement autour de la maison inondée des rayons du soleil matinal. Boucanier s'approcha de la fenêtre et regarda, curieux, l'étrange phénomène. Le museau levé vers le ciel, il se mit à aboyer et à s'exciter, remuant vigoureusement la queue, comme il le faisait lorsque Michael rentrait à la maison.

Étonnés de voir Boucanier aussi exubérant, Maria et William échangèrent un regard perplexe et s'approchèrent à leur tour de la fenêtre pour tenter de voir ce qui attisait ainsi la frénésie de leur chien. Ils virent un magnifique ballet de flocons de neige qui les enchanta et les fit sourire. Au milieu de la blancheur, Michael faisait de grands gestes à Boucanier, qui était le seul à le voir. Bras dessus, bras dessous, William et Maria quittèrent la petite cuisine vers la suite de leur vie.

Loin au-dessus de la forêt, une lumière glissa lentement, s'approchant de la demeure.

— Bon, il est rentré chez lui. C'est dommage que leur petit vaisseau se soit écrasé. Ce n'était pas le but de notre tournée d'observation. Ce jeune a survécu et nous avons pu le suivre. Rentrons à présent. À notre prochaine visite, il faudra être plus prudents si l'on veut éviter un autre accident.

La lumière s'intensifia l'espace d'un instant et repartit peut-être vers les étoiles, peut-être vers l'immensité de cet univers où flottent des milliards de planètes et de galaxies, des mondes sans doute habités et inconnus. Duquel de ces mondes était issue cette lumière qui avait accompagné William ? Nul ne le saurait jamais dans la petite maison au bord du lac.

Fin

Imprimé au Canada.

M
MARQUIS
Québec, Canada